Sous la direction
de Vital Gadbois et Nicole Simard

Textes intégraux

Asselineau, Gautier, Maupassant, Schwob, Verne, Villiers de l'Isle-Adam, Zola.

Anthologie

Récits fantastiques du XIXe siècle français

Notes, présentation
et appareil pédagogique
préparés par Régis Larrivée,
professeur au Cégep de Chicoutimi

GROUPE MODULO

Nous reconnaissons l'aide financière du gouvernement du Canada par l'entremise du Programme d'Aide au Développement de l'Industrie de l'Édition (PADIÉ) pour nos activités d'édition.

Catalogage avant publication de Bibliothèque et Archives nationales du Québec et Bibliothèque et Archives Canada
Vedette principale au titre :

Récits fantastiques du XIXe siècle

(Bibliothèque La Lignée)
Comprend des réf. bibliogr.
Pour les étudiants du niveau collégial.

ISBN 978-2-89593-542-1

1. Roman fantastique français. 2. Roman fantastique québécois. 3. Roman français - 19e siècle. 4. Roman fantastique français - Histoire et critique. 5. Roman fantastique québécois - Histoire et critique. I. Larrivée, Régis, 1968- . II. Collection.

PQ1276.F3R42 2007   843'.087660807   C2007-940724-2

Équipe de production
Éditeur : Sylvain Garneau
Chargée de projet : Dominique Lefort
Révision linguistique : Isabelle Maes
Correction d'épreuves : Catherine Baron
Typographie et montage : Carole Deslandes
Maquette : Charles Lessard
Couverture : Julie Bruneau

THOMSON
GROUPE MODULO

Récits fantastiques du XIXᵉ siècle français
© Groupe Modulo, 2007
233, avenue Dunbar
Mont-Royal (Québec)
Canada   H3P 2H4
Téléphone : 514 738-9818 / 1 888 738-9818
Télécopieur : 514 738-5838 / 1 888 273-5247
Site Internet : www.groupemodulo.com

DANGER
LE PHOTOCOPILLAGE TUE LE LIVRE

Dépôt légal - Bibliothèque et Archives nationales du Québec, 2007
Bibliothèque et Archives Canada, 2007
ISBN 978-2-89593-542-1

Imprimé au Canada
1 2 3 4 5   11 10 09 08 07

Créée par des professeurs de littérature enthousiastes, La Lignée accompagne l'enseignement de la littérature au collégial depuis 1980. Groupe Modulo est fier de vous présenter, sous ce nom prestigieux, une collection d'ouvrages littéraires sélectionnés pour leur qualité et leur originalité ; des professeurs d'expérience vous en faciliteront la lecture et la compréhension.

L'introduction situe les auteurs dans l'époque et dans le mouvement littéraire auxquels ils appartiennent, éclaire leurs œuvres dans ce qu'elles ont d'original, analyse leur langue dans ce qui la distingue et leur style dans ce qu'il a d'unique. Quelques précisions sont données concernant le choix des textes.

La première partie comporte une sélection de textes, accompagnée de notes de bas de page qui aplanissent les difficultés de langue et qui expliquent les allusions historiques ou culturelles.

En deuxième partie, deux textes font chacun l'objet d'une recherche lexicographique suivie de questions vous permettant de découvrir l'œuvre progressivement. Dans le premier cas, les réponses vous sont partiellement fournies ; dans le deuxième ne sont présentées que les questions. Le but est d'abord de comprendre le texte (première approche), de l'analyser (deuxième approche), finalement de le commenter, en le comparant avec deux autres textes de l'anthologie (troisième approche).

Des annexes contiennent des informations nécessaires à la lecture de l'œuvre, dont un tableau synoptique de la littérature française du XIXe siècle et un glossaire des notions littéraires utilisées dans l'analyse de l'œuvre. Suit enfin une médiagraphie composée d'ouvrages, de films et de sites Internet susceptibles de piquer votre curiosité et de vous inciter à lire d'autres grandes œuvres de la littérature.

Vital Gadbois et Nicole Simard,
directeurs de la collection « Bibliothèque La Lignée »

TABLE DES MATIÈRES

Symbole
*   Les mots définis dans le Glossaire des notions littéraires sont signalés, au fil des pages, par un astérisque.

LA LITTÉRATURE FANTASTIQUE

UN GENRE NARRATIF FUYANT ET PROTÉIFORME

Ce qui domine dans l'ensemble des récits brefs proposés dans cette anthologie, c'est le sentiment d'étrangeté, de peur, voire de terreur, qui y règne, ou que leur lecture provoque. La représentation de l'univers où le protagoniste évolue suggère un monde ressemblant au nôtre, mais dans lequel se produisent des événements ou des phénomènes inexplicables. L'objet qui suscite l'effroi chez le personnage n'est pas nécessairement visible, ni nommable. Ainsi se définit d'abord le fantastique : le vraisemblable* a atteint ses limites, l'événement dépasse l'entendement. La fascination qu'il inspire tient à la part d'inconnu dans le connu qu'il propose, c'est-à-dire qu'il entraîne le lecteur là où la complexité du monde naturel rejoint les desseins insondables de l'âme humaine.

Souvent considéré comme le moyen terme entre deux pôles — le naturel et le surnaturel, ou le réalisme* et le merveilleux* —, le genre fantastique, si l'on en juge par les nombreuses tentatives de le définir depuis son origine, est difficile à circonscrire au-delà de cette approximation. En effet, chaque siècle, chaque culture semble avoir son fantastique. Ainsi, les anthologies, les théoriciens font un classement souvent fort différent des œuvres qui peuvent être reconnues comme telles ou non.

Si ce genre entretient un rapport étroit et privilégié avec le « réalisme »[1], à la différence du merveilleux par exemple[2], on ne peut que constater jusqu'à quel point la notion de « réel » s'est modifiée au cours des siècles. Les systèmes de croyances changent.

---

1. Il est vrai que le fantastique français qui s'écrit au XIXᵉ siècle est très proche du réalisme de la même époque, mais il frôle aussi l'« impressionnisme » qui accorde une très large place à la perception subjective des phénomènes. Et, dans le fantastique, cette perception est souvent fortement détraquée.

2. Les textes traitant du surnaturel dans l'histoire de l'humanité sont nombreux, mais ils ne présentent pas toujours d'autres caractéristiques fondamentales du fantastique, comme c'est le cas des fables dans lesquelles les animaux peuvent parler, par exemple.

Pour un auteur du XVIe siècle, le diable en personne peut réellement exister, alors que l'utilisation que Gautier en fait dans « Deux acteurs pour un rôle » ressemble plus à un clin d'œil aux légendes mettant en scène ce personnage qu'à autre chose. Ce qui est superstition à une époque devient réalité à une autre, et vice versa. Et surtout, quel auteur, quel courant, quel genre n'évoque pas un certain « réalisme » pour justifier l'existence et la pertinence de son fantastique, et sa manière de le représenter ?

Pourtant, caractériser le fantastique du récit bref (nouvelles et contes) de la fin du XIXe siècle français devient possible si on l'étudie, d'une part, en tant que phénomène historique (au carrefour des courants* littéraires majeurs que sont le romantisme* et le réalisme*) et, d'autre part, en tant que phénomène générique régi par des contraintes intrinsèques au récit bref (narratif, court, etc.). C'est la prémisse de cette anthologie et c'est ce que nous proposons d'étudier dans cette introduction.

LE FANTASTIQUE FRANÇAIS AU XIXE SIÈCLE :
À LA CROISÉE DES COURANTS LITTÉRAIRES

Dans la deuxième moitié du XIXe siècle en France, le fantastique, genre métissé depuis son origine, est tributaire d'au moins deux grands courants littéraires : le romantisme et le réalisme. Au cours de cette période, d'autres influences viendront également le façonner, celles du Parnasse*, du naturalisme* et du symbolisme*. La littérature étrangère y sera aussi pour beaucoup. En effet, plusieurs auteurs de cette anthologie se réclament ouvertement, entre autres, de Hoffmann, de Poe, de Stevenson et de Shelley[1].

Le fantastique offre donc des histoires d'une surprenante variété grâce aux courants littéraires qui l'alimentent et aux

---

1. Ernst Theodor Amadeus Hoffmann (1776-1822), auteur allemand, célèbre pour ses *Contes* (écrits entre 1808 et 1822) ; Edgar Allan Poe (1809-1849), écrivain américain, auteur de nombreuses nouvelles fantastiques (publiées entre 1840 et 1849) qui furent traduites par le poète français Charles Baudelaire entre 1856 et 1865 ; Robert Louis Stevenson (1850-1894), écrivain écossais connu principalement pour son roman fantastique *L'Étrange Cas du Dr Jekyll et M. Hyde* (1886) ; et Mary Shelley (1797-1851), romancière anglaise, auteure de *Frankenstein ou le Prométhée moderne* (1818).

tonalités* qui le teintent. Parfois, le narrateur emprunte les traits d'un héros romantique* rêvant d'un amour idéal et mystique ; la tonalité lyrique, typique des textes romantiques, sera alors dominante. Dans d'autres œuvres, le drame raconté glisse vers le grotesque* et le macabre* avec la complaisance du réalisme* ; le héros qu'il met en scène est loin d'être un enfant de chœur. Parfois, le genre touche au naturalisme*, en utilisant par exemple des comparaisons entre l'homme et la nature. Il puise dans ce courant l'obsession du détail, l'énumération des objets du quotidien qui laissent au personnage l'impression de vivre une aventure incroyable mais réelle. Ou encore, le fantastique s'exprime dans un langage parnassien*, c'est-à-dire très travaillé, usant d'un vocabulaire rare pour contribuer au climat onirique* et à la création d'un décor particulier.

Phénomène du temps, l'étrange devient une création de l'intérieur dans le fantastique français du xixe siècle. La peur, le doute et l'étrange surgissent moins des forces extérieures, communément associées à une mythologie antique ou biblique, que de l'esprit ou de la perception même des personnages.

Pour établir un ordre dans l'ensemble assez hétéroclite des récits fantastiques choisis ici, cette anthologie propose une division en deux grands pôles : les récits tributaires d'une tradition romantique (en touchant au symbolisme et au Parnasse) et ceux qui découlent d'une tradition réaliste (allant jusqu'au naturalisme). Ce classement permet de rendre compte très simplement de la pluralité et de la complexité des formes du fantastique. On y retrouve des textes qui sont aux frontières de ce genre, soit qu'ils tendent vers le vraisemblable* (« La Mort d'Olivier Bécaille ») parce qu'ils comportent suffisamment d'éléments pour expliquer le « phénomène fantastique », soit qu'ils s'éloignent du vraisemblable en versant dans le merveilleux* (« Frritt-Flacc »).

Cette anthologie ne prétend pas privilégier ou renforcer une définition du fantastique, mais veut plutôt célébrer la nature fuyante et protéiforme de ce genre qui se moque des cadres théoriques et fascine encore aujourd'hui.

Émile Zola (1840-1902), auteur du recueil de nouvelles
Naïs Micoulin (1883), dans lequel on trouve « La Mort d'Olivier Bécaille »
(publiée d'abord en 1879).

© Collection Roger-Viollet.

LES CARACTÉRISTIQUES DU FANTASTIQUE

Ce ne sont pas les thèmes qui définissent le fantastique, mais le regard du narrateur sur la réalité, le milieu et l'atmosphère dans lesquels se déroule l'action ainsi que la manière de raconter ce qu'il vit et voit. Il n'est donc pas étonnant que la forme narrative qui lui sied le mieux soit le récit bref.

LE PERSONNAGE ET SA RELATION AU PHÉNOMÈNE FANTASTIQUE

Certaines caractéristiques concernant le personnage et sa relation au phénomène fantastique se dessinent. Nous en proposons deux qui s'appliquent aux héros des récits choisis pour cette anthologie : leur normalité frôlant la vacuité et leur solitude.

La première touche au personnage lui-même et à ce qu'on pourrait appeler son vide intérieur. Celui-ci ne participe pas de son plein gré aux événements qui lui arrivent. Il est plutôt incrédule, généralement peu enclin à la spiritualité et au mysticisme, même s'il peut se montrer obsédé. Il provient souvent d'un milieu aisé et se présente comme quelqu'un plutôt sain d'esprit, «*a priori* digne de foi[1]». Le passager de « L'Homme voilé » raconte, par exemple, les détails de son voyage avec lucidité et sang-froid jusqu'au moment où l'étrangeté de la situation dépasse son entendement.

Le personnage fantastique, à l'instar du personnage réaliste, n'a pas nécessairement l'étoffe d'un héros : il a des désirs et des pouvoirs humainement possibles, et il fait même généralement preuve d'une certaine banalité dans sa manière d'agir et de penser, témoignant d'un caractère ordinaire. Olivier Bécaille « éprouv[e] une honte à vivre » (ligne 907), ce qui surprend lorsqu'on considère sa chance inouïe d'être sorti vivant de sa mésaventure. Dans le récit bref, le personnage tient parfois de l'esquisse (anonyme, d'âge inconnu), à un point tel qu'on peut difficilement parler de « héros » fantastique. Les narrateurs d'«À s'y méprendre » et de « L'Homme voilé » se présentent d'ailleurs comme des observateurs privilégiés de phénomènes étranges : ils étaient là au

---

1. Joël Malrieu, *Le Fantastique*, coll. « Contours littéraires », Paris, Hachette Supérieure, 1992, p. 55.

bon moment pour voir ce qui se serait problablement de toute
façon produit, à leur insu. À d'autres reprises, le personnage principal entre carrément dans la catégorie des antihéros. Par
exemple, on ne peut pas dire que le docteur Trifulgas de « Frritt-
Flacc » suscite notre admiration, et on chercherait même à fuir
Chaudval du « Désir d'être un homme », tellement son comportement aliéné et mythomane devient inquiétant !

La deuxième caractéristique concerne la solitude vécue et
même souhaitée par le personnage. Quand il ne cherche pas la
compagnie de ses semblables et ne se retranche pas dans un certain isolement social, il est plutôt marginalisé à cause de ses goûts
singuliers. En restant à l'écart des autres, le personnage demeure
également dans un isolement affectif. Il est dans la plupart des
cas célibataire, ou agit comme tel, désirant avoir, comme le héros
romantique, ce qu'il ne pourra jamais obtenir. L'exemple du narrateur de « La Nuit » est particulièrement frappant, ce dernier comparant son amour démesuré pour la nuit à une relation amou-
reuse avec une « maîtresse » (ligne 2).

La solitude du personnage le rend particulièrement sensible
et le prédispose à vivre une expérience unique marquée par le
fantastique, et qui mettra fin à la banalité et à la monotonie de
son existence. Par contre, cette extraordinaire aventure lui sera
souvent fatale. Ainsi, le voyage du docteur Trifulgas pour soigner
le craquelinier dans « Frritt-Flacc » lui sera révélateur, mais
funeste.

LES LIEUX, LES DÉCORS ET L'ATMOSPHÈRE DU FANTASTIQUE

L'élément fondamental du genre, c'est-à-dire l'étrangeté ou le surnaturel et le sentiment de peur ou le doute qui en découle, repose souvent sur des effets* de réel qui servent à créer des décors, des situations qui « font vrai ». Dans l'écriture, cela se
manifeste de plusieurs façons : dates précises, lieux (véritables ou
fictifs) désignés par des noms propres, renvois à de vrais événements historiques, descriptions méticuleuses des décors, etc.
Dans « La Nuit », le trajet pédestre du narrateur est plausible parce
que les références aux rues empruntées par ce dernier sont réelles

et vérifiables. Dans « La Pipe d'opium », la mention du nom de l'ami du narrateur, Alphonse Karr, ami de Gautier dans la réalité, laisse croire à un récit plutôt autobiographique dès l'incipit* : le récit est ancré historiquement. La plupart des récits authentifient la narration, ce qui a pour effet de souligner davantage l'étrangeté du surnaturel à venir. Dans « Deux acteurs pour un rôle », les renvois au Jardin impérial de Vienne et au Danube permettent d'installer une atmosphère réaliste qui va se faire malmener par les événements étranges qui s'y dérouleront. « Le désir d'être un homme » donne plusieurs détails sur le contexte nocturne parisien. Ainsi a-t-on une bonne idée de l'ambiance qui régnait à la fermeture des cafés sur les boulevards autour de la Bourse de Paris à la fin du XIXe siècle.

Ce qui court-circuite l'effet* de réel, ce sont les marqueurs d'incertitude qui s'accumulent à mesure que le récit progresse. Plusieurs nouvelles font apparaître ces éléments en les liant à la perception qu'a le personnage de la réalité.

- Les choses ne « sont » plus, mais « semblent » être. Les perceptions deviennent surtout des impressions. Les auteurs utiliseront alors un lexique propre à créer le doute : l'emploi de mots tels que « semble » ou « peut-être » et du conditionnel est fréquent. La syntaxe et la ponctuation sont aussi modulées par cette hésitation : on retrouve de nombreuses phrases interrogatives, exclamatives ou incomplètes, suivies parfois de points de suspension. Dans « La Pipe d'opium », « Les Portes de l'opium » et « La Nuit », le narrateur est de moins en moins certain de ses affirmations. Il ne sait plus si ce qu'il a devant les yeux relève davantage de la réalité que de ses fantasmes. Cette apparente illusion peut parfois même être souhaitée par le personnage. Le comte d'Athol, dans « Véra », se crée « un mirage terrible » (ligne 176) pour pouvoir supporter le deuil de sa bien-aimée.

- L'utilisation de l'italique est un autre moyen pour souligner l'écart entre le personnage et le phénomène étrange qui se déroule sous ses yeux. Cette marque visuelle contribue très souvent à générer l'effet de doute, à marquer à la fois l'inquiétude et le mystère en exprimant l'énoncé d'un ton clairement différent du reste du texte. Chez Gautier, Maupassant et Villiers de l'Isle-Adam, par exemple, l'italique sert souvent à connoter l'anxiété ou la panique du personnage, lequel ressent un décalage entre ce qu'il croit connaître et ce qu'il voit. Dans « Véra », l'utilisation très nourrie de cette typographie laisse croire que l'auteur cherche à faire ressortir l'aspect symbolique de ces expressions. Dans d'autres cas, l'italique évoque l'étrangeté même de la voix, comme lorsque, dans « La Pipe d'opium », une voix à l'accent étrange s'exclame : « *Ce sont des esprits !!!* » (ligne 130) Ailleurs, l'italique est une allusion au dénouement surprenant du récit. Par exemple, dans « Frritt-Flacc », il figure à la fin lorsque le personnage se reconnaît, à sa grande surprise, dans le mourant qu'il est supposé guérir : il « *se meurt entre ses mains* » (ligne 264). Dans les récits de Schwob, l'italique marque le questionnement du narrateur : les mots « *assassiné* » (« L'Homme voilé », ligne 158) et « *l'idée de la porte* » (« Les Portes de l'opium », lignes 48-49) sont en italique parce qu'ils désignent des idées importantes, qui sont des clefs du récit, ou une réalité ayant une valeur obsessive.

- Une autre façon d'appuyer l'étrangeté réside dans le recours à un langage baroque* qui donne l'impression de lire un texte écrit dans une autre langue, ou dans un cadre qui déborde de l'expérience purement parisienne ou française. « Frritt-Flacc » est particulièrement surprenant sur ce point, encourageant le dépaysement total par l'emploi de néologismes*, surtout pour les noms propres (« Luktrop », « Mégalocride », etc.) et les noms communs (« kertses », « craquelinier », etc.). En outre, l'emploi d'onomatopées* inventées (jusque dans le titre) laisse penser qu'on nous raconte une histoire qui se situe dans un univers vraiment hors de l'ordinaire[1]. Les textes de Villiers de l'Isle-Adam et de Schwob sont aussi riches en néologismes* et en archaïsmes*, qui témoignent d'un certain cosmopolitisme (exotisme des personnages par leur description, noms

---

1. On trouvera la liste alphabétique de ces néologismes dans l'annexe I, p. 183.

propres étrangers, etc.) et d'un savoir acquis par un grand voyageur, un peu à l'instar des textes de Baudelaire, lecteur passionné de littérature étrangère.

LE RÉCIT BREF : QUELQUES TECHNIQUES NARRATIVES

Le récit bref fantastique impose des contraintes de concentration, de concision, de rapidité. Ces contraintes supposent des techniques narratives particulières.

- L'incipit*, qui amorce l'histoire, propose souvent une vision prospective de l'aventure qui sera racontée. En effet, nous pouvons dire qu'il agit un peu à la manière d'un sommaire* en annonçant la situation. C'est une entrée en matière rapide : le lecteur n'a pas besoin d'en savoir davantage. L'incipit rappelle dans un sens le « Il était une fois » du conte merveilleux (« La Pipe d'opium » et « Deux acteurs pour un rôle »). Il crée également un certain mystère qui éveille l'intérêt du lecteur. Cette manière de commencer l'histoire prend fréquemment l'apparence d'un commentaire achronique, intemporel. Ce commentaire peut être l'affirmation d'un principe, d'une vérité générale (« La Nuit », « Véra », « L'Homme voilé » et « Les Portes de l'opium »), dont la nouvelle s'occupera de faire la démonstration à partir d'un exemple concret, apparentant alors le récit à la fable. « Véra » débute par une affirmation qui s'avère juste à la lecture du récit : « [l']amour est [effectivement] plus fort que la Mort » (ligne 1). Il arrive que l'incipit introduise une énigme à résoudre. Par exemple, comment le narrateur de « La Mort d'Olivier Bécaille » peut-il, de son vivant, affirmer dès la première phrase : « C'est un samedi, à six heures du matin que je suis mort après trois jours de maladie » (lignes 1-2) ? Dans d'autres cas, on signale sans détour qu'il y a un mystère particulier à élucider ou un phénomène à expliquer : dans « Le Saut du Berger », le narrateur projette de raconter les événements qui ont mené à la dénomination d'un lieu (ligne 24).

- Le sommaire* caractérise souvent le dénouement de ces récits brefs, qui se terminent de façon allusive. Ils s'achèvent généralement en «pointe», en condensant une tension[1] maintenue tout le long du texte. Par exemple, à la dernière phrase du «Saut du Berger», le paysan résume ce qui devenait d'une terrible évidence (ou d'une évidence terrible!) à la lecture des événements: le curé «n'aimait pas la bagatelle» (ligne 141). À la fin de la sixième partie de «Frritt-Flacc», le texte confirme en toutes lettres ce que le lecteur soupçonne depuis un bon moment: les choses ne tournent pas rond dans l'univers du docteur Trifulgas, même si ce dernier ne veut pas se l'avouer. Dans la conclusion de «La Nuit», il arrive ce que le narrateur pressentait dès le début du récit, et que le lecteur est à même d'observer: «Ce qu'on aime avec violence finit toujours par vous tuer» (ligne 30).

- Par ailleurs, la nouvelle est aussi truffée d'ellipses* qui permettent d'accélérer le temps du récit. Dans «Deux acteurs pour un rôle», les trois différentes parties sont séparées par des sauts dans le temps: nul besoin de savoir exactement ce qui s'est passé entre les événements (qu'il soit question d'heures ou de jours), car ce qui importe dans ce récit bref est la relation qui se développe entre Henrich et l'inconnu.

- Pour favoriser la rapidité de la narration, les référents des pronoms («je», «on», «nous», «il», «elle») demeurent indéterminés, ce qui permet de tracer à grands traits le portrait* des personnages («À s'y méprendre», «Deux acteurs pour un rôle») sans trop de souci d'exactitude historique, ce qui serait typique du roman réaliste. C'est l'événement unique qui va marquer le personnage et qui deviendra le pôle de son existence.

- Une autre caractéristique typique des récits brefs de cette anthologie est qu'ils gardent des traces d'oralité: le conteur et l'atmosphère du conte affleurent. Dans «Frritt-Flacc» ou «Les Portes de l'opium», par exemple, le narrateur s'autorise même des apartés* pour s'adresser à nous, lecteurs, afin de nous

---

1. Florence Goyet, *La Nouvelle 1870-1925. Description d'un genre à son apogée*, coll. «Écriture», Paris, PUF, 1993, p. 48-60.

Auguste Villiers de l'Isle-Adam (1838-1889), auteur des *Contes cruels*
(1883), dans lequel on trouve « Véra » (publié d'abord en mai 1874),
« À s'y méprendre (publié d'abord en décembre 1875) et
« Le désir d'être un homme (publié d'abord en juillet 1882).

rendre témoins (et complices) de ses observations. Dans « Le Saut du Berger » ou « La Jambe », on remarque que le narrateur fait un récit qui est enchâssé dans l'histoire. Il agit comme relais en racontant une légende, une rumeur ou un fait divers. Il nous rapporte ce que d'autres lui ont relaté. Par cet effet de miroir, le lecteur a l'impression de participer à la rumeur.

LA NOUVELLE : UNE FORME NARRATIVE BRÈVE

À la suite de Joël Malrieu, nous proposons de rattacher la définition du genre fantastique à son « vecteur privilégié[1] », la nouvelle, puisque, comme on vient de le dire, le fantastique se déploie surtout dans la forme du récit bref. En effet, il « s'accommode difficilement de la longueur qui imposerait à l'auteur d'introduire une multiplicité d'éléments qui le détourneraient de son projet[2] ». On peut constater jusqu'à quel point le phénomène surnaturel unique, autour duquel tout tourne dans ce type de récit, doit être central dans la définition du genre :

> Le récit fantastique repose en dernier ressort sur la confrontation d'un personnage isolé avec un phénomène, extérieur à lui ou non, surnaturel ou non, mais dont la présence ou l'intervention représente une contradiction profonde avec les cadres de pensée et de vie du personnage, au point de les bouleverser complètement et durablement.
>
> L'histoire du fantastique est l'histoire des variations autour de ce schéma[3].

Ce lien entre le genre fantastique et la forme narrative brève a un appui historique, que met d'ailleurs en lumière notre anthologie, dans le fait qu'un grand nombre de récits étaient d'abord destinés aux feuilletons littéraires des journaux, objets de lecture rapide. Or, la contrainte de la longueur influe très certainement sur l'écriture du récit (personnages esquissés, rythme et chute

---

1. Joël Malrieu, *op. cit.*, p. 22.
2. *Ibid.*, p. 47.
3. *Ibid.*, p. 48-49.

rapides, emploi du sommaire, etc.). Cela est vrai aussi pour le roman-feuilleton, d'ailleurs… De plus, contrairement au roman-feuilleton, la nouvelle-feuilleton, livrée en entier, atteint son plein effet en une seule parution.

Les textes regroupés dans cette anthologie respectent en grande partie les lois qui régissent l'écriture des récits brefs, des nouvelles en particulier. Brèves, les nouvelles le sont effectivement, surtout lorsqu'on les compare au roman, par exemple. Elles fonctionnent avec une grande économie de moyens : si tel détail est donné, c'est qu'il sera infailliblement significatif dans la progression de l'histoire.

UNE ANTHOLOGIE VARIÉE ET HOMOGÈNE

Cette anthologie est d'abord placée sous le signe de la diversité. Comme on l'a déjà dit, le choix des textes fait en sorte que l'on aborde une grande diversité de courants* et de tonalités*. Ils peuvent parfois étonner le lecteur, ne serait-ce que par la variété des niveaux de langue de la voix narrative. Une autre manifestation de cette diversité est que chacun de ces textes empruntent à des genres différents (par exemple, au roman* d'anticipation : « Frritt-Flacc » ; au journal intime ou à la chronique : « La Nuit », « La Jambe » ; au conte populaire : « Deux acteurs pour un rôle » ; etc.) et à des tonalités* différentes (du tragique dans le « Saut du Berger », on passe au comique dans « Deux acteurs pour un rôle » ou à l'absurde dans « À s'y méprendre »). La dernière variation entre les textes de cette anthologie constitue leur longueur, qui va de deux ou trois pages (« À s'y méprendre ») jusqu'à une vingtaine (« La Mort d'Olivier Bécaille »), ce qui en fait un court roman en quelque sorte.

Malgré les différences existant entre les textes de cette anthologie, on constatera néanmoins leur grande unité, au-delà de leur appartenance au fantastique :

1. Une même provenance historique, géographique et sociologique : rappelons que les textes regroupés ici datent de la fin du XIXᵉ siècle et ont été publiés, en France, dans la plupart des cas, pour la première fois en feuilleton littéraire, c'est-à-dire

dans un journal[1], avant d'être rassemblés en recueil, parfois même de manière posthume. Les textes sont donc le produit d'une même culture, d'un milieu littéraire et artistique souvent commun, et d'auteurs qui se connaissent, se lisent, se critiquent et s'apprécient.

2. Des thèmes communs : les phénomènes mystérieux, l'inquiétante étrangeté, la folie, le rêve sont autant de thèmes qui se retrouvent dans les récits de cette anthologie. Dans « Les Portes de l'opium » et « La Pipe d'opium », on traite des effets hallucinatoires de cette drogue. Dans « La Jambe » et « La Nuit », il est question d'un amour obsessionnel, presque maladif, qu'éprouve le narrateur pour une « chose ».

3. Un point de vue de narration (focalisation*) et une structure* narrative semblables : le point de vue est souvent unique, appartenant à un seul personnage, ce qui suppose que les événements sont filtrés par la subjectivité de ce regard. La structure narrative typique du récit bref se profile même dans les nouvelles très longues : la nouvelle commence par le résumé d'une problématique, qui sera poussée jusqu'à son paroxysme. La conclusion culmine en une surprise, généralement énigmatique et qui ne permet pas toujours d'élucider le mystère du phénomène fantastique. L'incertitude de cette fin est souvent le fruit de deux interprétations possibles, l'une réaliste et l'autre surnaturelle, de ce qui s'est produit. Peut-on croire ce qui arrive au terme du texte « La Nuit », par exemple ?

4. Des caractéristiques stylistiques et linguistiques apparentées : la langue est souvent très travaillée et le niveau de langue, soutenu. L'emploi de néologismes* est fréquent, et l'influence parnassienne* dans les tournures syntaxiques et le vocabulaire est très forte. Par exemple, dans « Le désir d'être un homme », l'envolée lyrique du narrateur au sujet du Paris nocturne donne lieu à des phrases complexes (lignes 13 à 25).

---

1. Ce phénomène n'est cependant pas limité à la nouvelle ; les romans français de la deuxième moitié du xixe siècle se publient souvent d'abord comme des chapitres indépendants dans des feuilletons.

Dans « Frritt-Flacc », l'emploi d'un lexique maritime (« caboteurs »), géophysique (« vapeurs sulfurées ») et architectural (« casbah », « entrefend ») témoigne du choix de Verne de privilégier les mots rares.

QUELQUES RENSEIGNEMENTS PRATIQUES

L'ordre des textes de cette anthologie est établi de manière souple selon les courants « héréditaires » des auteurs : les romantico-symbolistes et les réalistico-naturalistes (voir l'annexe II, p. 185). Ces courants entretiennent déjà une parenté, une même « manière de sentir[1] ». Le symbolisme français de la deuxième moitié du xixe siècle semble être la suite naturelle du romantisme du début du xixe siècle par la sensibilité envers le monde environnant. Le naturalisme est un réalisme teinté d'un objectif scientifique. Les courants de chaque élément du « couple » partagent une esthétique similaire, qui comprend un choix thématique analogue et des styles proches. À l'intérieur des deux grands groupes, les textes sont ensuite classés suivant l'ordre chronologique de l'année de naissance des auteurs, puis par année de la première publication du texte pour un même auteur ou, à défaut, selon l'ordre dans un recueil de nouvelles d'un même auteur.

Nous nous devons de reconnaître le caractère plutôt aléatoire du classement. Ce regroupement est fait à titre de convention éditoriale et n'est un commentaire dogmatique sur l'appartenance des textes des auteurs aux courants en question. Par exemple, peut-on vraiment parler de Verne comme d'un réaliste ? Les textes de Schwob ont parfois un penchant vers le réalisme ; c'est pourtant à titre de symboliste qu'il figure dans cette anthologie puisque les nouvelles choisies en révèlent l'influence manifeste. Asselineau figure ici chez les réalistes parce que nous considérons que son esthétique rejoint celles de Zola et de Maupassant. Baudelaire lui-même voit cependant chez lui l'influence du romantique

---

1. Charles Baudelaire, « Salon de 1846 » dans *Curiosités esthétiques, l'art romantique et autres œuvres critiques*, textes établis par Henri Lemaître, coll. « Classiques Garnier », Paris, Garnier Frères, 1962, p. 103.

Hoffmann. Qui a dit que les auteurs doivent se cantonner dans un seul courant ? L'exemple de Théophile Gautier, à la fois poète parnassien et prosateur romantique, est la preuve éclatante du contraire.

Chaque récit ou suite de textes d'un auteur est précédé d'une courte biographie de ce dernier. On y traite de son œuvre, de l'intérêt de la lire, de l'importance qu'elle a dans l'histoire littéraire, de l'angle sous lequel on peut l'analyser, ainsi que des liens littéraires qui unissent l'auteur avec d'autres écrivains de l'anthologie.

Pour tous les récits de cette anthologie, nous avons choisi d'éliminer systématiquement les dédicaces et parfois les épigraphes* en début de texte, à moins qu'elles ne procurent un éclairage intéressant sur la nouvelle en question. Au sujet de la version reproduite, nous nous appuyons sur l'édition (ou les éditions) mentionnée en note de bas de page au début de chaque récit. Nous avons privilégié, dans les limites du possible, une orthographe et une typographie modernes. Par exemple, dans « La Jambe », les orthographes désuètes d'expressions adverbiales, comme « tout-à-coup », « tout-à-l'heure », et l'adverbe « très » utilisé en tant que préfixe comme dans « très-attentif » — ce qui était courant du temps de Baudelaire et de Rimbaud — ont été remplacés par la graphie moderne.

Notre recueil fait le choix délibéré de maintenir un certain nombre d'expressions en italique. Cette décision a été prise en considérant les caractéristiques du genre fantastique et pour des raisons d'authenticité concernant la typographie des premières éditions (corrigées) par les auteurs. Ainsi, l'italique nous semble particulièrement nécessaire à la cohérence dans les cas suivants :

a) l'italique contribue à l'inquiétante étrangeté ;

b) l'italique signale l'origine étrangère du mot : « *passim* » (« Frritt-Flacc ») ; « *foenum habet in cornu* » (« Deux acteurs pour un rôle ») ; « *sine qua non* » (« Le désir d'être un homme ») ;

c) l'italique est utilisé pour les titres ou les noms d'objets d'art, de salles, de lieux, etc.

Dans les notes de bas de page se trouvent les définitions des mots absents du *Petit Robert 1* et celles dont l'entrée est difficile d'accès ou cachée dans un long article ; dans ce cas, nous nous sommes référés aux versions sur papier (édition de 2004) et électronique (édition de 2001) de ce dictionnaire. Les expressions difficiles à comprendre aujourd'hui font aussi l'objet de notes, de même que les références ou les allusions historiques ou socio-culturelles ; à cette fin, nous avons utilisé le *Dictionnaire de l'Académie française* (4e, 6e et 8e éditions, respectivement de 1762, 1832-35 et 1932-35), le *Thrésor de la langue française* (1606) de Nicot[1], et le *Dictionnaire historique de la langue française* d'Alain Rey (Paris, Dictionnaires Le Robert, 1992). En ce qui concerne les noms de lieux, nous avons notamment eu recours au *Dictionnaire des noms de lieux* de Louis Deroy et de Marianne Mulon (coll. « Les Usuels du Robert », Montréal, Robert/Havas Canada, 1992, 530 pages).

Quant aux informations relatives aux noms propres, nous avons fait appel aux éditions de référence de chaque texte, complétées particulièrement par *Le Petit Robert des noms propres* (édition de septembre 1994). Les néologismes* de Verne sont signalés à l'annexe I, p. 183.

Plusieurs lieux de Paris décrits dans les nouvelles se retrouvent sur la carte de Paris reproduite aux pages 18 et 19 et sont signalés dans les notes de bas de page ; il est possible parfois, et très captivant d'ailleurs, de suivre ainsi le parcours du personnage dans la ville. Cette carte permet de faire l'économie de minutieuses et pénibles notes de bas de page qui auraient été nécessaires pour expliquer la disposition géographique des rues. Elle servira au lecteur notamment pour « La Nuit », « La Jambe » et « Le désir d'être un homme », puisque la plupart des lieux, monuments et rues mentionnés y figurent.

Pour un même texte, seule la première occurrence d'un mot ou d'une expression fait l'objet d'une note de bas de page.

---

1. On trouve ces dictionnaires sur le site électronique « Analyse et traitement informatique de la langue française (ATILF) » de l'Université de Chicago : http://portail.atilf.fr/dictionnaires/onelook.htm.

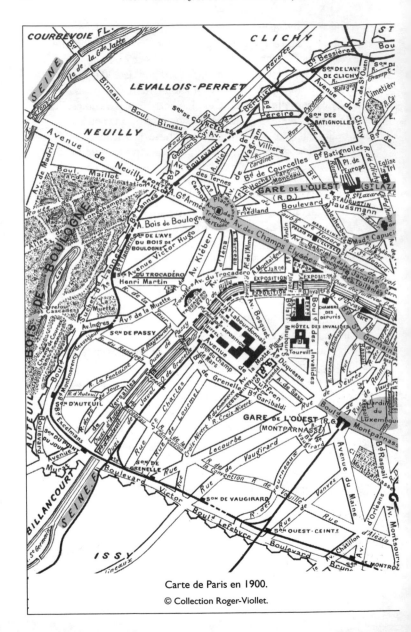

Carte de Paris en 1900.

© Collection Roger-Viollet.

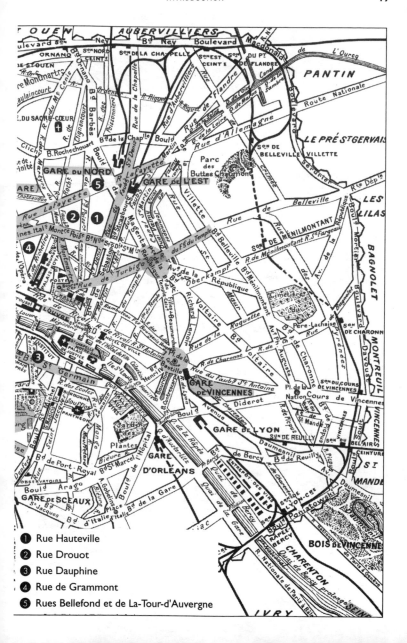

1 Rue Hauteville
2 Rue Drouot
3 Rue Dauphine
4 Rue de Grammont
5 Rues Bellefond et de La-Tour-d'Auvergne

PREMIÈRE PARTIE

Récits fantastiques
du XIXe siècle français

Récits d'inspiration
romantique ou symboliste

Théophile Gautier (1811-1872)

Pierre-Jules-Théophile Gautier naît à Tarbes, en 1811, et meurt à Paris, en 1872. L'influence de Gérard de Nerval (1808-1855), de Johann Wolfgang von Goethe (1749-1832) et de Theodor Wilhelm Hoffman (1776-1822) est manifeste dans son œuvre. Un amour impossible, issu du romantisme nervalien, des allusions au mythe germanique de Faust (personnage qui vend son âme au diable) et un décor enchanteur à la Hoffman, voilà quelques exemples des « emprunts » de Gautier dans ses récits. Il reste qu'il devient lui-même une figure marquante pour des écrivains qui lui succéderont, notamment Charles Baudelaire (1821-1867) qui fera de lui le destinataire de l'élogieuse dédicace des *Fleurs du mal* (1857).

Que ce soit dans ses poèmes (*Albertus*, 1832 ; *Émaux et Camées*, 1852) ou ses récits (*Mlle de Maupin*, 1836 ; *Le Spirite*, 1866), Gauthier met en scène sa quête d'idéal artistique. Son œuvre littéraire renvoie constamment aux autres arts, notamment la sculpture, et témoigne d'une volonté de se défaire de ce qui est utilitaire. Cela peut expliquer son goût pour le fantastique. Gautier a écrit, tout au long de sa vie, une douzaine de textes fantastiques qui n'ont jamais été rassemblés dans un recueil de son vivant. Témoignant de sa grande érudition, ses récits multiplient les renvois historiques et font souvent appel à des mythes antiques.

Les deux textes de Gautier, ici présentés, tiennent d'un fantastique assez léger, voire drolatique, surtout lorsqu'on les compare aux autres récits de notre recueil, prouvant ainsi que la tonalité* fantastique peut varier. On pourrait presque d'ailleurs parler de farce*, dans le cas de « Deux acteurs pour un rôle », dans lequel Gautier réactive le « pacte avec le diable » dans un décor théâtral. Quant à « La Pipe d'opium », le décor est un lieu quotidien qui s'anime, contre toute attente, par le biais des hallucinations exotiques du narrateur. Chez Gautier, le fantastique s'apparente ainsi plus à un jeu littéraire qu'à l'expression d'une réelle angoisse métaphysique.

La Pipe d'opium[1]

L'autre jour, je trouvai mon ami Alphonse Karr[2] assis sur son divan, avec une bougie allumée, quoiqu'il fît grand jour, et tenant à la main un tuyau de bois de cerisier muni d'un champignon[3] de porcelaine sur lequel il faisait dégoutter une
5 espèce de pâte brune assez semblable à la cire à cacheter ; cette pâte flambait et grésillait dans la cheminée du champignon, et il aspirait par une petite embouchure d'ambre jaune la fumée qui se répandait ensuite dans la chambre avec une vague odeur de parfum oriental.
10 Je pris, sans rien dire, l'appareil des mains de mon ami, et je m'ajustai à l'un des bouts ; après quelques gorgées, j'éprouvai une espèce d'étourdissement qui n'était pas sans charmes et ressemblait assez aux sensations de la première ivresse.

Étant de feuilleton ce jour-là[4], et n'ayant pas le loisir d'être
15 gris, j'accrochai la pipe à un clou et nous descendîmes dans le jardin, dire bonjour aux dahlias et jouer un peu avec Schutz, heureux animal qui n'a d'autre fonction que d'être noir sur un tapis de vert gazon.

Je rentrai chez moi, je dînai, et j'allai au théâtre subir je ne
20 sais quelle pièce, puis je revins me coucher, car il faut bien en arriver là, et faire, par cette mort de quelques heures, l'apprentissage de la mort définitive.

L'opium que j'avais fumé, loin de produire l'effet somnolent que j'en attendais, me jetait en des agitations nerveuses

---

1. Nous avons retenu, pour l'essentiel, le texte de l'édition de Théophile Gautier, *Récits fantastiques*, sous la direction de Marc Eigeldinger, Paris, Flammarion, 1981, 474 pages (p. 151-162), ainsi que l'édition de Théophile Gautier, *L'Œuvre fantastique. I, Nouvelles*, présentée et annotée par Michel Crouzet, coll. Classiques Garnier, Paris, Bordas, 1992, 328 pages (p. 109-116).

2. *Alphonse Karr* : (1808-1890), opiomane bien connu du milieu bohémien parisien.

3. *champignon* : renflement de la pipe qui a la forme d'un champignon.

4. *Étant de feuilleton ce jour-là* : devant, ce jour-là, m'atteler à la tâche de feuilletoniste, c'est-à-dire à la rédaction d'un chapitre de roman pour un journal.

La Fée Nicotine (1902), Louis-Philippe Hébert (1850-1917).
Bronze.

© Musée des beaux-arts de Montréal, achat,
legs Horsley et Annie Townsend.
Photo : Musée des beaux-arts de Montréal, Christine Guest.

25 comme du café violent, et je tournais dans mon lit en façon
de carpe sur le gril ou de poulet à la broche, avec un perpé-
tuel roulis de couvertures, au grand mécontentement de mon
chat roulé en boule sur le coin de mon édredon.

Enfin, le sommeil longtemps imploré ensabla mes prunelles
30 de sa poussière d'or, mes yeux devinrent chauds et lourds, je
m'endormis.

Après une ou deux heures complètement immobiles et
noires, j'eus un rêve.

— Le voici :

35 Je me retrouvai chez mon ami Alphonse Karr, — comme
le matin, dans la réalité ; il était assis sur son divan de lam-
pas jaune, avec sa pipe et sa bougie allumée ; seulement le
soleil ne faisait pas voltiger sur les murs, comme des papillons
aux mille couleurs, les reflets bleus, verts et rouges des vitraux.

40 Je pris la pipe de ses mains, ainsi que je l'avais fait quelques
heures auparavant, et je me mis à aspirer lentement la fumée
enivrante.

Une mollesse pleine de béatitude ne tarda pas à s'emparer
de moi, et je sentis le même étourdissement que j'avais éprouvé
45 en fumant la vraie pipe.

Jusque-là mon rêve se tenait dans les plus exactes limites
du monde habitable, et répétait, comme un miroir, les actions
de ma journée.

J'étais pelotonné dans un tas de coussins, et je renversais
50 paresseusement ma tête en arrière pour suivre en l'air les spi-
rales bleuâtres, qui se fondaient en brume d'ouate, après avoir
tourbillonné quelques minutes.

Mes yeux se portaient naturellement sur le plafond, qui est
d'un noir d'ébène, avec des arabesques d'or.

55 À force de le regarder avec cette attention extatique qui précède les visions, il me parut bleu, mais d'un bleu dur, comme
un des pans du manteau de la nuit.

« Vous avez donc fait repeindre votre plafond en bleu, dis-
je à Karr, qui, toujours impassible et silencieux, avait

60 embouché une autre pipe, et rendait plus de fumée qu'un
tuyau de poêle en hiver, ou qu'un bateau à vapeur dans une
saison quelconque.

— Nullement, mon fils, répondit-il en mettant son nez hors
du nuage, mais vous m'avez furieusement la mine de vous être
65 à vous-même peint l'estomac en rouge, au moyen d'un
bordeaux plus ou moins *Laffitte*[1].

— Hélas ! que ne dites-vous la vérité ; mais je n'ai bu qu'un
misérable verre d'eau sucrée, où toutes les fourmis de la terre
étaient venues se désaltérer, une école de natation d'insectes.

70 — Le plafond s'ennuyait apparemment d'être noir, il s'est
mis en bleu ; après les femmes, je ne connais rien de plus
capricieux que les plafonds ; c'est une fantaisie de plafond,
voilà tout, rien n'est plus ordinaire. »

Cela dit, Karr rentra son nez dans le nuage de fumée, avec
75 la mine satisfaite de quelqu'un qui a donné une explication
limpide et lumineuse.

Cependant je n'étais qu'à moitié convaincu, et j'avais de la
peine à croire les plafonds aussi fantastiques que cela, et je
continuais à regarder celui que j'avais au-dessus de ma tête,
80 non sans quelque sentiment d'inquiétude.

Il bleuissait, il bleuissait comme la mer à l'horizon, et les
étoiles commençaient à y ouvrir leurs paupières aux cils d'or ;
ces cils, d'une extrême ténuité, s'allongeaient jusque dans la
chambre qu'ils remplissaient de gerbes prismatiques.

85 Quelques lignes noires rayaient cette surface d'azur, et je
reconnus bientôt que c'étaient les poutres des étages supérieurs
de la maison devenue transparente.

Malgré la facilité que l'on a en rêve d'admettre comme naturelles les choses les plus bizarres, tout ceci commençait à
90 me paraître un peu louche et suspect, et je pensai que si mon

---

1. *bordeaux plus ou moins* Laffitte : vins d'une qualité discutable, le Château Laffitte étant
un bordeaux de grande réputation.

camarade Esquiros *le Magicien*[1] était là, il me donnerait des
explications plus satisfaisantes que celles de mon ami
Alphonse Karr.

Comme si cette pensée eût eu la puissance d'évocation,
95 Esquiros se présenta soudain devant nous, à peu près
comme le barbet de Faust qui sort de derrière le poêle[2].

Il avait le visage fort animé et l'air triomphant, et il disait,
en se frottant les mains :

«Je vois aux antipodes, et j'ai trouvé la Mandragore qui
100 parle.»

Cette apparition me surprit, et je dis à Karr :

«Ô Karr! Concevez-vous qu'Esquiros, qui n'était pas là tout
à l'heure, soit entré sans qu'on ait ouvert la porte?

— Rien n'est plus simple, répondit Karr. L'on entre par les
105 portes fermées, c'est l'usage; il n'y a que les gens mal élevés
qui passent par les portes ouvertes. Vous savez bien qu'on dit
comme injure : Grand enfonceur de portes ouvertes.»

Je ne trouvai aucune objection à faire contre un raisonne-
ment si sensé, et je restai convaincu qu'en effet la présence
110 d'Esquiros n'avait rien que de fort explicable et de très légal
en soi-même.

Cependant il me regardait d'un air étrange, et ses yeux
s'agrandissaient d'une façon démesurée; ils étaient ardents et
ronds comme des boucliers chauffés dans une fournaise, et
115 son corps se dissipait et se noyait dans l'ombre, de sorte que
je ne voyais plus de lui que ses deux prunelles flamboyantes
et rayonnantes.

Des réseaux de feu et des torrents d'effluves magnétiques
papillotaient et tourbillonnaient autour de moi, s'enlaçant tou-
120 jours plus inextricablement et se resserrant toujours; des fils

---

1. *Esquiros* le Magicien : Alphonse Esquiros (1812-1876), auteur et ami de Gautier. Il
   publie un roman intitulé *Le Magicien* (1838).

2. *comme le barbet de Faust qui sort de derrière le poêle* : allusion à la pièce de Goethe,
   Faust, Eine Tragödie (1808); le barbet est l'annonciateur de Méphistophélès, personnage
   diabolique de cette tragédie.

étincelants aboutissaient à chacun de mes pores, et s'implantaient dans ma peau à peu près comme les cheveux dans la tête. J'étais dans un état de somnambulisme complet.

Je vis alors des petits flocons blancs qui traversaient l'espace bleu du plafond comme des touffes de laine emportées par le vent, ou comme un collier de colombe qui s'égrène dans l'air.

Je cherchais vainement à deviner ce que c'était, quand une voix basse et brève me chuchota à l'oreille, avec un accent étrange : — *Ce sont des esprits !!!* Les écailles de mes yeux tombèrent ; les vapeurs blanches prirent des formes plus précises, et j'aperçus distinctement une longue file de figures voilées qui suivaient la corniche, de droite à gauche, avec un mouvement d'ascension très prononcé, comme si un souffle impérieux les soulevait et leur servait d'aile.

À l'angle de la chambre, sur la moulure du plafond, se tenait assise une forme de jeune fille enveloppée dans une large draperie de mousseline.

Ses pieds, entièrement nus, pendaient nonchalamment croisés l'un sur l'autre ; ils étaient, du reste, charmants, d'une petitesse et d'une transparence qui me firent penser à ces beaux pieds de jaspe qui sortent si blancs et si purs de la jupe de marbre noir de l'Isis antique du Musée[1].

Les autres fantômes lui frappaient sur l'épaule en passant, et lui disaient :

« Nous allons dans les étoiles, viens donc avec nous. »

L'ombre au pied d'albâtre leur répondait :

« Non ! je ne veux pas aller dans les étoiles ; je voudrais vivre six mois encore. »

Toute la file passa, et l'ombre resta seule, balançant ses jolis petits pieds, et frappant le mur de son talon nuancé d'une teinte rose, pâle et tendre comme le cœur d'une clochette

---

1 *Isis antique du Musée* : probablement la copie d'une Isis romaine, possiblement celle reproduite par Antoine-Guillaume Grandjaquet. Barbey d'Aurevilly (1808-1889) parle d'une statue similaire dans « Le bonheur dans le crime » (*Les Diaboliques*).

sauvage ; quoique sa figure fût voilée, je la sentais jeune, ado-
rable et charmante, et mon âme s'élançait de son côté, les bras
155 tendus, les ailes ouvertes.

L'ombre comprit mon trouble par intention ou sympathie,
et dit d'une voix douce et cristalline comme un harmonica :

« Si tu as le courage d'aller embrasser sur la bouche celle
qui fut moi, et dont le corps est couché dans la ville noire,
160 je vivrai six mois encore, et ma seconde vie sera pour toi. »

Je me levai, et me fis cette question :

À savoir, si je n'étais pas le jouet de quelque illusion, et si
tout ce qui se passait n'était pas un rêve.

C'était une dernière lueur de la lampe de la raison éteinte
165 par le sommeil.

Je demandai à mes deux amis ce qu'ils pensaient de tout
cela.

L'imperturbable Karr prétendit que l'aventure était commune, qu'il en avait eu plusieurs du même genre, et que j'étais
170 d'une grande naïveté de m'étonner de si peu.

Esquiros expliqua tout au moyen du magnétisme.

« Allons, c'est bien, je vais y aller ; mais je suis en pan-
toufles…

— Cela ne fait rien, dit Esquiros, je *pressens* une voiture à
175 la porte. »

Je sortis, et je vis, en effet, un cabriolet à deux chevaux qui
semblait attendre. Je montai dedans.

Il n'y avait pas de cocher. — Les chevaux se conduisaient
eux-mêmes ; ils étaient tout noirs, et galopaient si furieuse-
180 ment, que leurs croupes s'abaissaient et se levaient comme des
vagues, et que des pluies d'étincelles pétillaient derrière eux.

Ils prirent d'abord la rue de La-Tour-d'Auvergne[1], puis la
rue Bellefond[1], puis la rue Lafayette[1], et, à partir de là, d'autres
rues dont je ne sais pas les noms.

---

1. *rue de La-Tour-d'Auvergne, rue Bellefond, rue Lafayette* : rues situées entre la gare
St-Lazare et la gare du Nord. Ce sont des rues du quartier habité par Gautier ; voir
la carte de Paris, p. 18-19.

185   À mesure que la voiture allait, les objets prenaient autour
de moi des formes étranges: c'étaient des maisons rechignées,
accroupies au bord du chemin comme de vieilles filandières,
des clôtures en planches, des réverbères qui avaient l'air de
gibets à s'y méprendre ; bientôt les maisons disparurent tout
190   à fait, et la voiture roulait dans la rase campagne.

Nous filions à travers une plaine morne et sombre ; — le
ciel était très bas, couleur de plomb, et une interminable pro-
cession de petits arbres fluets courait, en sens inverse de la
voiture, des deux côtés du chemin ; l'on eût dit une armée de
195   manches à balai en déroute.

Rien n'était sinistre comme cette immensité grisâtre que la
grêle silhouette des arbres rayait de hachures noires: — pas
une étoile ne brillait, aucune paillette de lumière n'écaillait
la profondeur blafarde de cette demi-obscurité.

200   Enfin, nous arrivâmes à une ville, à moi inconnue, dont les
maisons d'une architecture singulière, vaguement entrevue
dans les ténèbres, me parurent d'une petitesse à ne pouvoir
être habitées ; — la voiture, quoique beaucoup plus large que
les rues qu'elle traversait, n'éprouvait aucun retard ; les mai-
205   sons se rangeaient à droite et à gauche comme des passants
effrayés, et laissaient le chemin libre.

Après plusieurs détours, je sentis la voiture fondre sous moi,
et les chevaux s'évanouirent en vapeurs, j'étais arrivé.

Une lumière rougeâtre filtrait à travers les interstices
210   d'une porte de bronze qui n'était pas fermée ; je la poussai,
et je me trouvai dans une salle dallée de marbre blanc et noir
et voûtée en pierre ; une lampe antique, posée sur un socle
de brèche violette[1], éclairait d'une lueur blafarde une figure
couchée, que je pris d'abord pour une statue comme celles
215   qui dorment les mains jointes, un lévrier aux pieds, dans les
cathédrales gothiques ; mais je reconnus bientôt que c'était une
femme réelle.

---

1. *brèche violette*: marbre italien veiné de violet, souvent utilisé dans la décoration intérieure des palais.

Elle était d'une pâleur exsangue, et que je ne saurais mieux
comparer qu'au ton de la cire vierge jaunie, ses mains, mates
220   et blanches comme des hosties, se croisaient sur son cœur ;
ses yeux étaient fermés, et leurs cils s'allongeaient jusqu'au
milieu des joues ; tout en elle était mort : la bouche seule,
fraîche comme une grenade en fleur, étincelait d'une vie riche
et pourprée, et souriant à demi comme dans un rêve heureux.

225   Je me penchai vers elle, je posai ma bouche sur la sienne,
et je lui donnai le baiser qui devait la faire revivre.

Ses lèvres humides et tièdes, comme si le souffle venait à
peine de les abandonner, palpitèrent sous les miennes, et me
rendirent mon baiser avec une ardeur et une vivacité
230   incroyables.

Il y a ici une lacune dans mon rêve, et je ne sais comment
je revins de la ville noire ; probablement à cheval sur un nuage
ou sur une chauve-souris gigantesque. — Mais je me souviens
parfaitement que je me trouvai avec Karr dans une maison qui
235   n'est ni la sienne ni la mienne, ni aucune de celles que je
connais.

Cependant tous les détails intérieurs, tout l'aménagement
m'étaient extrêmement familiers ; je vois nettement la cheminée dans le goût de Louis XVI[1], le paravent à ramages, la
240   lampe à garde-vue vert et les étagères pleines de livres aux
angles de la cheminée.

J'occupais une profonde bergère à oreillettes[2], et Karr, les
deux talons appuyés sur le chambranle, assis sur les épaules
et presque sur la tête, écoutait d'un air piteux et résigné, le
245   récit de mon expédition que je regardais moi-même en rêve.

Tout à coup un violent coup de sonnette se fit entendre,
et l'on vint m'annoncer qu'une *dame* désirait *me* parler.

-----

1. *cheminée dans le goût de Louis XVI* : foyer de marbre blanc et ornementé de motifs sy-
    métriques dorés.
2. *oreillettes* : oreillards ou oreilles de fauteuil, sur lesquels on peut appuyer la tête.

« Faites entrer la *dame*, répondis-je, un peu ému et pressentant ce qui allait arriver. »

250 Une femme vêtue de blanc, et les épaules couvertes d'un mantelet noir, entra d'un pas léger, et vint se placer dans la pénombre lumineuse projetée par la lampe.

Par un phénomène très singulier, je vis passer sur sa figure trois physionomies différentes : elle ressembla un instant à
255 Malibran[1], puis à M…, puis à celle qui disait aussi qu'elle ne voulait pas mourir, et dont le dernier mot fut : « Donnez-moi un bouquet de violettes. »

Mais ces ressemblances se dissipèrent bientôt comme une ombre sur un miroir, les traits du visage prirent de la fixité
260 et se condensèrent, et je *reconnus* la morte que j'avais embrassée dans la ville noire.

Sa mise était extrêmement simple, et elle n'avait d'autre ornement qu'un cercle d'or dans ses cheveux, d'un brun foncé, et tombant en grappes d'ébène le long de ses joues unies
265 et veloutées.

Deux petites taches roses empourpraient le haut de ses pommettes, et ses yeux brillaient comme des globes d'argent brunis ; elle avait, du reste, une beauté de camée antique, et la blonde transparence de ses chairs ajoutait encore à la
270 ressemblance.

Elle se tenait debout devant moi, et me pria, demande assez bizarre, de lui dire son nom.

Je lui répondis sans hésiter qu'elle se nommait *Carlotta*, ce qui était vrai ; ensuite elle me raconta qu'elle avait été chan-
275 teuse, et qu'elle était morte si jeune, qu'elle ignorait les plaisirs de l'existence, et qu'avant d'aller s'enfoncer pour toujours dans l'immobile éternité ; elle voulait jouir de la beauté du monde, s'enivrer de toutes les voluptés et se plonger dans l'océan des joies terrestres ; qu'elle se sentait une soif inex-
280 tinguible de vie et d'amour.

[1]. *Malibran* : María de la Felicidad García dite La (1808-1836), célèbre cantatrice française d'origine espagnole.

Et, en disant tout cela avec une éloquence d'expression et une poésie qu'il n'est pas en mon pouvoir de rendre, elle nouait ses bras en écharpe autour de mon cou, et entrelaçait ses mains fluettes dans les boucles de mes cheveux.

285 Elle parlait en vers d'une beauté merveilleuse, où n'atteindraient pas les plus grands poètes éveillés, et quand le vers ne suffisait plus pour rendre sa pensée, elle lui ajoutait les ailes de la musique, et c'était des roulades, des colliers de notes plus pures que des perles parfaites, des tenues de voix, des sons

290 filés bien au-dessus des limites humaines, tout ce que l'âme et l'esprit peuvent rêver de plus tendre, de plus adorablement coquet, de plus amoureux, de plus ardent, de plus ineffable.

« Vivre six mois, six mois encore », était le refrain de toutes ses cantilènes.

295 Je voyais très clairement ce qu'elle allait dire, avant que la pensée arrivât de sa tête ou de son cœur jusque sur ses lèvres, et j'achevais moi-même le vers ou le chant commencés ; j'avais pour elle la même transparence, et elle lisait en moi couramment.

300 Je ne sais pas où se seraient arrêtées ces extases que ne modérait plus la présence de Karr, lorsque je sentis quelque chose de velu et de rude qui me passait sur la figure ; j'ouvris les yeux, et je vis mon chat qui frottait sa moustache à la mienne en manière de congratulation matinale, car l'aube tamisait à tra-

305 vers les rideaux une lumière vacillante.

C'est ainsi que finit mon rêve d'opium, qui ne me laissa d'autre trace qu'une vague mélancolie, suite ordinaire de ces sortes d'hallucinations.

Paru pour la première fois dans *La Presse* du 27 septembre 1838.

Faust cherchant à séduire Marguerite (1828),
Eugène Delacroix (1798-1863). Lithographie.

© Réunion des Musées Nationaux/Art Resource, NY.

Deux acteurs pour un rôle[1]

I
Un rendez-vous au Jardin impérial

On touchait aux derniers jours de novembre : le Jardin
impérial de Vienne était désert, une bise aiguë faisait tour-
billonner les feuilles couleur de safran et grillées par les premiers froids ; les rosiers des parterres, tourmentés et rompus
5 par le vent, laissaient traîner leurs branchages dans la boue.
Cependant la grande allée, grâce au sable qui la recouvre, était
sèche et praticable. Quoique dévasté par les approches de l'hiver, le Jardin impérial ne manquait pas d'un certain charme
mélancolique. La longue allée prolongeait fort loin ses arcades
10 rousses, laissant deviner confusément à son extrémité un horizon de collines déjà noyées dans les vapeurs bleuâtres et le
brouillard du soir ; au-delà, la vue s'étendait sur le Prater et
le Danube[2] ; c'était une promenade faite à souhait pour un
poète.

15 Un jeune homme arpentait cette allée avec des signes visibles d'impatience ; son costume, d'une élégance un peu théâ-
trale, consistait en une redingote de velours noir à brandebourgs d'or bordée de fourrure, un pantalon de tricot gris, des
bottes molles à glands montant jusqu'à mi-jambes. Il pouvait
20 avoir de vingt-sept à vingt-huit ans ; ses traits pâles et réguliers étaient pleins de finesse, et l'ironie se blottissait dans les

---

1. Nous avons retenu, pour l'essentiel, le texte de l'édition de Théophile Gautier, *Récits
   fantastiques*, sous la direction de Marc Eigeldinger, Paris, Flammarion, 1981, 474 pages
   (p. 195-207), ainsi que l'édition de Théophile Gautier, *L'Œuvre fantastique*. I, *Nouvelles*,
   présentée et annotée par Michel Crouzet, coll. Classiques Garnier, Paris, Bordas, 1992,
   328 pages (p. 151-166).

2. *le Prater et le Danube* : le Prater était, à l'époque, un espace verdoyant sur le bord du
   Danube, fleuve qui traverse l'Europe centrale et orientale, se déversant finalement
   dans la mer Noire.

plis de ses yeux et les coins de sa bouche ; à l'Université, dont
il paraissait récemment sorti, car il portait encore la casquette
à feuilles de chêne des étudiants, il devait avoir donné beau-
25   coup de fil à retordre aux *philistins*[1] et brillé au premier rang
des *burschen*[1] et des *renards*[1].

Le très court espace dans lequel il circonscrivait sa promenade montrait qu'il attendait quelqu'un ou plutôt quelqu'une, car le Jardin impérial de Vienne, au mois de novembre,
30   n'est guère propice aux rendez-vous d'affaires.

En effet, une jeune fille ne tarda pas à paraître au bout de
l'allée : une coiffe de soie noire couvrait ses riches cheveux
blonds, dont l'humidité du soir avait légèrement défrisé les
longues boucles ; son teint, ordinairement d'une blancheur de
35   cire vierge, avait pris sous les morsures du froid des nuances
de roses de Bengale[2]. Groupée et pelotonnée comme elle était
dans sa mante garnie de martre, elle ressemblait à ravir à la
statuette de *La Frileuse*[3] ; un barbet noir l'accompagnait, chaperon commode, sur l'indulgence et la discrétion duquel on
40   pouvait compter.

— Figurez-vous, Henrich, dit la jolie Viennoise en prenant
le bras du jeune homme, qu'il y a plus d'une heure que je suis
habillée et prête à sortir, et ma tante n'en finissait pas avec ses
sermons sur les dangers de la valse, et les recettes pour les
45   gâteaux de Noël et les carpes au bleu. Je suis sortie sous le
prétexte d'acheter des brodequins gris dont je n'ai nul besoin.
C'est pourtant pour vous, Henrich, que je fais tous ces petits
mensonges dont je me repens et que je recommence toujours ;
aussi quelle idée avez-vous eue de vous livrer au théâtre ; c'était

---

1. philistins, burschen, renards : les « philistins » ne fréquentent pas l'université et sont
   traités avec hauteur et moquerie par les étudiants ; les « burschen » (à l'origine « bour-
   siers ») désignent les étudiants ayant déjà une année d'ancienneté ; les « renards » sont
   des petits nouveaux qui, pendant un an, devront obéir aux précédents, et supporter leur moquerie et leurs sévices.

2. *roses de Bengale* : appelées aussi roses de Chine ou hibiscus.

3. La Frileuse : surnom de la statue du sculpteur Jean-Antoine Houdon (1741-1828)
   intitulée *L'Hiver*.

50 bien la peine d'étudier si longtemps la théologie à Heidelberg[1] !
Mes parents vous aimaient et nous serions mariés aujourd'hui.
Au lieu de nous voir à la dérobée sous les arbres chauves du
Jardin impérial, nous serions assis côte à côte près d'un beau
poêle de Saxe, dans un parloir bien clos, causant de l'avenir
55 de nos enfants : ne serait-ce pas, Henrich, un sort bien
heureux ?

— Oui, Katy, bien heureux, répondit le jeune homme en
pressant sous le satin et les fourrures le bras potelé de la jolie
Viennoise ; mais, que veux-tu ! c'est un ascendant invincible ;
60 le théâtre m'attire ; j'en rêve le jour, j'y pense la nuit ; je sens
le désir de vivre dans la création des poètes, il me semble que
j'ai vingt existences. Chaque rôle que je joue me fait une vie
nouvelle ; toutes ces passions que j'exprime, je les éprouve ;
je suis Hamlet, Othello, *Charles Moor*[2] : quand on est tout cela,
65 on ne peut que difficilement se résigner à l'humble condition
de pasteur de village.

— C'est fort beau ; mais vous savez bien que mes parents
ne voudront jamais d'un comédien pour gendre.

— Non, certes, d'un comédien obscur, pauvre artiste am-
70 bulant, jouet des directeurs et du public ; mais d'un grand
comédien couvert de gloire et d'applaudissements, plus payé
qu'un ministre, si difficiles qu'ils soient, ils en voudront bien.
Quand je viendrai vous demander dans une belle calèche
jaune dont le vernis pourra servir de miroir aux voisins éton-
75 nés, et qu'un grand laquais galonné m'abattra le marchepied,
croyez-vous, Katy, qu'ils me refuseront ?

— Je ne le crois pas… Mais qui dit, Henrich, que vous en
arriverez jamais là ?… Vous avez du talent ; mais le talent ne
suffit pas, il faut encore beaucoup de bonheur. Quand vous

---

1. *Heidelberg* : ville où se trouve la plus vieille université d'Allemagne, fondée en 1386,
   dont la première faculté fut celle de théologie, encore réputée de nos jours.
2. Charles Moor : bandit révolté, héros du drame de Friedrich von Schiller (1759-1805),
   Les Brigands (1782).

80 serez ce grand comédien dont vous parlez, le plus beau temps
de notre jeunesse sera passé, et alors voudrez-vous toujours
épouser la vieille Katy, ayant à votre disposition les amours
de toutes ces princesses de théâtre si joyeuses et si parées ?

— Cet avenir, répondit Henrich, est plus prochain que vous
85 ne croyez ; j'ai un engagement avantageux au théâtre de la
Porte de Carinthie[1], et le directeur a été si content de la manière dont je me suis acquitté de mon dernier rôle, qu'il m'a
accordé une gratification de deux mille thalers.

— Oui, reprit la jeune fille d'un air sérieux, ce rôle de
90 démon dans la pièce nouvelle ; je vous avoue, Henrich, que
je n'aime pas voir un chrétien prendre le masque de l'ennemi
du genre humain et prononcer des paroles blasphématoires.
L'autre jour, j'allai vous voir au théâtre de Carinthie, et à
chaque instant je craignais qu'un véritable feu d'enfer ne
95 sortît des trappes où vous vous engloutissiez dans un tour-
billon d'esprit-de-vin. Je suis revenue chez moi toute troublée
et j'ai fait des rêves affreux.

— Chimères que tout cela, ma bonne Katy ; et d'ailleurs,
c'est demain la dernière représentation, et je ne mettrai plus
100 le costume noir et rouge qui te déplaît tant.

— Tant mieux ! car je ne sais quelles vagues inquiétudes
me travaillent l'esprit, et j'ai bien peur que ce rôle, profitable
à votre gloire, ne le soit pas à votre salut ; j'ai peur aussi que
vous ne preniez de mauvaises mœurs avec des damnés co-
105 médiens. Je suis sûre que vous ne dites plus vos prières, et
la petite croix que je vous avais donnée, je parierais que vous
l'avez perdue.

Henrich se justifia en écartant les revers de son habit ; la
petite croix brillait toujours sur sa poitrine.

---

1. *théâtre de la Porte de Carinthie* : alors l'Opéra de Vienne.

110   Tout en devisant ainsi, les deux amants[1] étaient parvenus à la rue du Thabor dans la Leopoldstadt[2], devant la boutique du cordonnier renommé pour la perfection de ses brodequins gris ; après avoir causé quelques instants sur le seuil, Katy entra suivie de son barbet noir, non sans avoir livré ses jolis doigts
115 effilés au serrement de main d'Henrich.

   Henrich tâcha de saisir encore quelques aspects de sa maîtresse, à travers les souliers mignons et les gentils brodequins symétriquement rangés sur les tringles de cuivre de la devanture ; mais le brouillard avait étamé les carreaux de sa moite
120 haleine, et il ne put démêler qu'une silhouette confuse ; alors, prenant une héroïque résolution, il pirouetta sur ses talons et s'en alla d'un pas délibéré au gasthof de *l'Aigle à deux têtes*[3].

II
Le gasthof de l'Aigle à deux têtes

   Il y avait ce soir-là compagnie nombreuse au gasthof de *l'Aigle à deux têtes* ; la société était la plus mélangée du monde,
125 et le caprice de Callot et celui de Goya[4], réunis, n'auraient pu produire un plus bizarre amalgame de types caractéristiques. *L'Aigle à deux têtes* était une de ces bienheureuses caves célébrées par Hoffmann, dont les marches sont si usées, si onctueuses et si glissantes, qu'on ne peut poser le pied sur la pre-
130 mière sans se trouver tout de suite au fond, les coudes sur la

---

1. *amants* : (vieux) qui sont amoureux l'un de l'autre, sans nécessairement avoir de relations sexuelles.

2. *Leopoldstadt* : à l'époque, quartier cosmopolite et populaire sur le bord du Danube.

3. *gasthof de* l'Aigle à deux têtes : auberge (en allemand *gasthof*) aux armoiries de la ville de Vienne, symbolisant l'union de l'Occident (notamment l'Autriche) et de l'Orient (entre autres la Hongrie, la Bohême, la Croatie, la Slavonie) dans l'Empire austro-hongrois.

4. *caprice de Callot et celui de Goya* : Jacques Callot (1592-1635) et Francisco de Goya (1746-1828) sont des auteurs de caprices, c'est-à-dire de dessins fantaisistes, de bouffonneries critiques à caractère absurde et fantastique, comme a pu le faire en littérature le conteur Theodor Wilhelm Hoffmann (1776-1822), auteur de *Fantaisies dans la manière de Callot*.

table, la pipe à la bouche, entre un pot de bière et une
mesure de vin nouveau.

À travers l'épais nuage de fumée qui vous prenait d'abord
à la gorge et aux yeux, se dessinaient, au bout de quelques
135 minutes, toute sorte de figures étranges.

C'étaient des Valaques[1] avec leur cafetan et leur bonnet de
peau d'Astrakan, des Serbes, des Hongrois aux longues mous-
taches noires, caparaçonnés de dolmans et de passementeries ;
des Bohèmes au teint cuivré, au front étroit, au profil busqué ;
140 d'honnêtes Allemands en redingote à brandebourgs, des Tatars
aux yeux retroussés à la chinoise ; toutes les populations ima-
ginables. L'Orient y était représenté par un gros Turc accroupi
dans un coin, qui fumait paisiblement du latakié[2] dans une
pipe à tuyau de cerisier de Moldavie[3], avec un fourneau de
145 terre rouge et un bout d'ambre jaune.

Tout ce monde, accoudé à des tables, mangeait et buvait :
la boisson se composait de bière forte et d'un mélange de vin
rouge nouveau avec du vin blanc plus ancien ; la nourriture,
de tranches de veau froid, de jambon ou de pâtisseries.

150 Autour des tables tourbillonnait sans repos une de ces
longues valses allemandes qui produisent sur les imaginations
septentrionales le même effet que le hachich et l'opium sur
les Orientaux ; les couples passaient et repassaient avec
rapidité ; les femmes, presque évanouies de plaisir sur le bras
155 de leur danseur, au bruit d'une valse de Lanner[4], balayaient
de leurs jupes les nuages de fumée de pipe et rafraîchissaient
le visage des buveurs. Au comptoir, des improvisateurs
morlaques[5], accompagnés d'un joueur de guzla, récitaient une

---

1. *Valaques* : habitants de la Valachie, région historique de la Roumanie.

2. *latakié* : tabac cultivé à Latakie, sur la côte syrienne.

3. *Moldavie* : région historique de la Roumanie. La Valachie et la Moldavie allaient donner naissance à la Roumanie en 1859.

4. *Lanner* : Joseph Franz Karl Lanner (1801-1843), musicien viennois auteur de plus
   de deux cents valses.

5. *morlaques* : habitants slavisés qu'on retrouve en Croatie et en Yougoslavie.

espèce de complainte dramatique qui paraissait divertir
160   beaucoup une douzaine de figures étranges, coiffées de tar-
bouchs et vêtues de peau de mouton.

Henrich se dirigea vers le fond de la cave et alla prendre
place à une table où étaient déjà assis trois ou quatre personnages de joyeuse mine et de belle humeur.

165   — Tiens, c'est Henrich! s'écria le plus âgé de la bande; prenez garde à vous, mes amis: *fœnum habet in cornu*[1]. Sais-tu que
tu avais vraiment l'air diabolique l'autre soir: tu me faisais
presque peur. Et comment s'imaginer qu'Henrich, qui boit de
la bière comme nous et ne recule pas devant une tranche
170   de jambon froid, vous prenne des airs si venimeux, si mé-
chants et si sardoniques, et qu'il lui suffise d'un geste pour
faire courir le frisson dans toute la salle?

— Eh! pardieu! c'est pour cela qu'Henrich est un grand
artiste, un sublime comédien. Il n'y a pas de gloire à repré-
175   senter un rôle qui serait dans votre caractère; le triomphe, pour
une coquette, est de jouer supérieurement les ingénues.

Henrich s'assit modestement, se fit servir un grand verre
de vin mélangé, et la conversation continua sur le même sujet.
Ce n'était de toutes parts qu'admiration et compliments.

180   — Ah! si le grand Wolfgang de Goethe[2] t'avait vu! disait
l'un.

— Montre-nous tes pieds, disait l'autre: je suis sûr que tu
as l'ergot fourchu.

Les autres buveurs, attirés par ces exclamations, regardaient
185   sérieusement Henrich, tout heureux d'avoir l'occasion d'exa-
miner de près un homme si remarquable. Les jeunes gens qui
avaient autrefois connu Henrich à l'Université, et dont ils
savaient à peine le nom, s'approchaient de lui en lui serrant
la main cordialement, comme s'ils eussent été ses intimes amis.

---

1. fœnum habet in cornu: en latin, signifie « il a du foin aux cornes ». (Horace, *Satires*,
   IV, vers 34). Dans le contexte, l'expression désigne sans doute le diable.

2. *Wolfgang de Goethe*: traduction française de Johann Wolfgang von Goethe (1749-1832).

190   Les plus jolies valseuses lui décochaient en passant le plus
tendre regard de leurs yeux bleus et veloutés.

Seul, un homme assis à la table voisine ne paraissait pas
prendre part à l'enthousiasme général ; la tête renversée en arrière, il tambourinait distraitement, avec ses doigts, sur le fond
195   de son chapeau, une marche militaire, et, de temps en temps,
il poussait une espèce de *humph !* singulièrement dubitatif.

L'aspect de cet homme était des plus bizarres, quoiqu'il fût
mis comme un honnête bourgeois de Vienne, jouissant d'une
fortune raisonnable ; ses yeux gris se nuançaient de teintes
200   vertes et lançaient des lueurs phosphoriques comme celles des
chats. Quand ses lèvres pâles et plates se desserraient, elles
laissaient voir deux rangées de dents très blanches, très aiguës
et très séparées, de l'aspect le plus cannibale et le plus féroce ;
ses ongles longs, luisants et recourbés, prenaient de vagues
205   apparences de griffes ; mais cette physionomie n'apparaissait
que par éclairs rapides ; sous l'œil qui le regardait fixement,
sa figure reprenait bien vite l'apparence bourgeoise et dé-
bonnaire d'un marchand viennois retiré du commerce, et l'on
s'étonnait d'avoir pu soupçonner de scélératesse et de diablerie
210   une face si vulgaire et si triviale.

Intérieurement Henrich était choqué de la nonchalance de
cet homme ; ce silence si dédaigneux ôtait de leur valeur aux
éloges dont ses bruyants compagnons l'accablaient. Ce silence
était celui d'un vieux connaisseur exercé, qui ne se laisse pas
215   prendre aux apparences et qui a vu mieux que cela dans son
temps.

Atmayer, le plus jeune de la troupe, le plus chaud en-
thousiaste d'Henrich, ne put supporter cette mine froide, et,
s'adressant à l'homme singulier, comme le prenant à témoin
220   d'une assertion qu'il avançait :

— N'est-ce pas, monsieur, qu'aucun acteur n'a mieux joué
le rôle de Méphistophélès[1] que mon camarade que voilà ?

---

1. *Méphistophélès* : personnage diabolique de *Faust* (1806), pièce de Goethe.

— Humph! dit l'inconnu en faisant miroiter ses prunelles glauques et craquer ses dents aiguës, M. Henrich est un gar-
225 çon de talent et que j'estime fort; mais, pour jouer le rôle du diable, il lui manque encore bien des choses.

Et, se dressant tout à coup:

— Avez-vous jamais vu le diable, monsieur Henrich?

Il fit cette question d'un ton si bizarre et si moqueur, que
230 tous les assistants se sentirent passer un frisson dans le dos.

— Cela serait pourtant bien nécessaire pour la vérité de votre jeu. L'autre soir, j'étais au théâtre de la Porte de Carinthie, et je n'ai pas été satisfait de votre rire; c'était un rire d'espiègle, tout au plus. Voici comme il faudrait rire, mon cher petit
235 monsieur Henrich.

Et là-dessus, comme pour lui donner l'exemple, il lâcha un éclat de rire si aigu, si strident, si sardonique, que l'orchestre et les valses s'arrêtèrent à l'instant même; les vitres du gasthof tremblèrent. L'inconnu continua pendant quelques
240 minutes ce rire impitoyable et convulsif qu'Henrich et ses compagnons, malgré leur frayeur, ne pouvaient s'empêcher d'imiter.

Quand Henrich reprit haleine, les voûtes du gasthof répétaient, comme un écho affaibli, les dernières notes de ce
245 ricanement grêle et terrible, et l'inconnu n'était plus là.

III
Le théâtre de la Porte de Carinthie

Quelques jours après cet incident bizarre, qu'il avait presque oublié et dont il ne se souvenait plus que comme de la plaisanterie d'un bourgeois ironique, Henrich jouait son rôle de démon dans la pièce nouvelle.
250 Sur la première banquette de l'orchestre était assis l'inconnu du gasthof, et, à chaque mot prononcé par Henrich, il hochait la tête, clignait les yeux, faisait claquer sa langue contre son

palais et donnait les signes de la plus vive impatience :
« Mauvais ! mauvais ! » murmurait-il à demi-voix.

255   Ses voisins, étonnés et choqués de ses manières, applau-
dissaient et disaient :

— Voilà un monsieur bien difficile !

À la fin du premier acte, l'inconnu se leva, comme ayant
pris une résolution subite, enjamba les timbales, la grosse
260   caisse et le tamtam, et disparut par la petite porte qui conduit
de l'orchestre au théâtre.

Henrich, en attendant le lever du rideau, se promenait dans
la coulisse, et, arrivé au bout de sa courte promenade, quelle
fut sa terreur de voir, en se retournant, debout au milieu de
265   l'étroit corridor, un personnage mystérieux, vêtu exactement
comme lui, et qui le regardait avec des yeux dont la transparence verdâtre avait dans l'obscurité une profondeur inouïe ;
des dents aiguës, blanches, séparées, donnaient quelque chose
de féroce à son sourire sardonique.

270   Henrich ne put méconnaître l'inconnu du gasthof de *l'Aigle
à deux têtes*, ou plutôt le diable en personne ; car c'était lui.

— Ah ! ah ! mon petit monsieur, vous voulez jouer le rôle
du diable ! Vous avez été bien médiocre dans le premier acte,
et vous donneriez vraiment une trop mauvaise opinion de moi
275   aux braves habitants de Vienne. Vous me permettrez de vous
remplacer ce soir, et, comme vous me gêneriez, je vais vous
envoyer au second dessous[1].

Henrich venait de reconnaître l'ange des ténèbres et il se
sentit perdu ; portant machinalement la main à la petite croix
280   de Katy, qui ne le quittait jamais, il essaya d'appeler au secours
et de murmurer sa formule d'exorcisme ; mais la terreur lui
serrait trop violemment la gorge : il ne put pousser qu'un faible
râle. Le diable appuya ses mains griffues sur les épaules
d'Henrich et le fit plonger de force dans le plancher ; puis il

---

1. *second dessous* : second étage, sous la scène d'un théâtre.

285 entra en scène, sa réplique étant venue, comme un comédien
consommé.

Ce jeu incisif, mordant, venimeux et vraiment diabolique,
surprit d'abord les auditeurs.

— Comme Henrich est en verve aujourd'hui ! s'écriait-on
290 de toutes parts.

Ce qui produisait surtout un grand effet, c'était ce ricanement aigre comme le grincement d'une scie, ce rire de damné
blasphémant les joies du paradis. Jamais acteur n'était arrivé
à une telle puissance de sarcasme, à une telle profondeur de
295 scélératesse : on riait et on tremblait. Toute la salle haletait
d'émotion, des étincelles phosphoriques jaillissaient sous les
doigts du redoutable acteur ; des traînées de flamme étincelaient à ses pieds ; les lumières du lustre pâlissaient, la rampe
jetait des éclairs rougeâtres et verdâtres ; je ne sais quelle odeur
300 sulfureuse régnait dans la salle ; les spectateurs étaient
comme en délire, et des tonnerres d'applaudissements fré-
nétiques ponctuaient chaque phrase du merveilleux
Méphistophélès, qui souvent substituait des vers de son
invention à ceux du poète, substitution toujours heureuse et
305 acceptée avec transport.

Katy, à qui Henrich avait envoyé un coupon de loge, était
dans une inquiétude extraordinaire ; elle ne reconnaissait pas
son cher Henrich ; elle pressentait vaguement quelque malheur avec cet esprit de divination que donne l'amour, cette
310 seconde vue de l'âme.

La représentation s'acheva dans des transports inimagi-
nables. Le rideau baissé, le public demanda à grands cris que
Méphistophélès reparût. On le chercha vainement ; mais un
garçon de théâtre vint dire au directeur qu'on avait trouvé dans
315 le second dessous M. Henrich, qui sans doute était tombé par
une trappe. Henrich était sans connaissance : on l'emporta chez
lui, et, en le déshabillant, l'on vit avec surprise qu'il avait aux
épaules de profondes égratignures, comme si un tigre eût
essayé de l'étouffer entre ses pattes. La petite croix d'argent

320   de Katy l'avait préservé de la mort, et le diable, vaincu par cette
influence, s'était contenté de le précipiter dans les caves du
théâtre.

La convalescence d'Henrich fut longue : dès qu'il se porta
mieux, le directeur vint lui proposer un engagement des plus
325   avantageux, mais Henrich le refusa ; car il ne se souciait nullement de risquer son salut une seconde fois, et savait,
d'ailleurs, qu'il ne pourrait jamais égaler sa redoutable
doublure.

Au bout de deux ou trois ans, ayant fait un petit héritage,
330   il épousa la belle Katy, et tous deux, assis côte à côte près d'un
poêle de Saxe, dans un parloir bien clos, ils causent de l'avenir de leurs enfants.

Les amateurs de théâtre parlent encore avec admiration de
cette merveilleuse soirée, et s'étonnent du caprice d'Henrich,
335   qui a renoncé à la scène après un si grand triomphe.

Paru pour la première fois dans
Le Musée des familles en juillet 1841.

Auguste Villiers de l'Isle-Adam (1838-1889)

Auguste Villiers de l'Isle-Adam naît à St-Brieuc, en Bretagne, en 1838 et meurt à Paris en 1889. Ses lectures de jeunesse le font pencher tout d'abord vers les romantiques. Ami du musicien Richard Wagner (1813-1883) et des symbolistes Stéphane Mallarmé (1842-1898) et Joris-Karl Huysmans (1848-1907), il fréquente Théophile Gautier (1811-1872) ainsi que Charles Baudelaire (1821-1867). Par son idéologie, il est aux antipodes des réalistes et vit en décalage constant avec son époque : ses ambitions amoureuses, sociales et littéraires déçues comme son dégoût manifeste pour le matérialisme, le progrès et la science traversent l'ensemble de son œuvre.

Son œuvre annonce une science-fiction plutôt critique, une satire du progrès. Ce type de fantastique, généré par la logique, débouche soit sur le cauchemar, soit sur une foi qui donne un accès privilégié au rêve. Ainsi, son roman *L'Ève future* (1886) dénonce les prétentions superficielles de la science matérialiste et fait l'apologie d'un idéalisme souvent déçu, mais libérateur. À la fois pessimistes et optimistes, ses textes ont souvent pour thème central la mort comme délivrance d'un monde qui fait souffrir.

Aujourd'hui, on se souvient surtout de Villiers de l'Isle-Adam comme nouvelliste. Ses *Contes cruels* (1883) sont des récits qui versent parfois dans l'idéal, parfois dans le spleen. « Véra », une belle histoire d'amour inspirée de « Ligeia » (1837) de Poe et du « Spirite » (1866) de Gautier, conjugue l'idéalisme hégélien au spiritualisme chrétien auquel Villiers de l'Isle-Adam n'a cessé de s'identifier. Dans « Le désir d'être un homme », l'auteur décrit ensuite les motivations narcissiques et les rouages impitoyables de l'âme criminelle. Finalement, le récit « À s'y méprendre » est une variation énigmatique sur le thème du déjà-vu ou du pressentiment[1] si cher aux auteurs de textes fantastiques de l'époque. Ce dernier récit nous permet d'apprécier le déploiement de la technique de la répétition* narrative. Très maîtrisée et étonnamment moderne, presque oulipienne* en fait, cette particularité stylistique annonce même certaines œuvres du courant littéraire du nouveau* roman.

---

1. Dans « Deux acteurs pour un rôle », Gautier décrit le « pressentiment » comme la « seconde vue de l'âme » (p. 45, ligne 310).

L'Amour des âmes (1900), Jean Delville (1867-1953). Peinture.

Véra[1]

La forme du corps lui est plus essentielle que sa substance.
La Physiologie moderne.[2]

L'Amour est plus fort que la Mort, a dit Salomon[3] : oui, son
mystérieux pouvoir est illimité.

C'était à la tombée d'un soir d'automne, en ces dernières
années, à Paris. Vers le sombre faubourg Saint-Germain[4], des
5 voitures, allumées déjà, roulaient, attardées, après l'heure du
Bois[5]. L'une d'elles s'arrêta devant le portail d'un vaste hôtel
seigneurial, entouré de jardins séculaires ; le cintre était sur-
monté de l'écusson de pierre, aux armes de l'antique famille
des comtes d'Athol, savoir : *d'azur, à l'étoile abîmée d'argent*,
10 avec la devise « PALLIDA VICTRIX[6] », sous la couronne retrous-
sée d'hermine au bonnet princier. Les lourds battants s'écar-
tèrent. Un homme de trente à trente-cinq ans, en deuil, au
visage mortellement pâle, descendit. Sur le perron, de taci-
turnes serviteurs élevaient des flambeaux. Sans les voir, il
15 gravit les marches et entra. C'était le comte d'Athol.

---

1. Nous avons retenu, pour l'essentiel, le texte de l'édition d'Auguste Villiers de l'Isle-
Adam, *Contes cruels*, édition présentée et annotée par Pierre Reboul, coll. Folio, Paris,
Gallimard, 1983, 412 pages (p. 56-68), ainsi que l'édition d'Auguste Villiers de l'Isle-
Adam, *Contes cruels. Nouveaux Contes cruels*, édition préparée par Pierre-Georges
Castex, Paris, Garnier, 1968, 502 pages (p. 15-27).

2. Cette épigraphe* rappelle que l'auteur était un fervent lecteur du philosophe allemand G.W.F. Hegel (1770-1831), surtout ses travaux concernant les rapports entre
l'esprit et la matière, et la supériorité du premier sur la seconde.

3. *L'Amour est plus fort que la Mort, a dit Salomon* : référence au « Cantique des Cantiques »,
poème de Salomon, chant 8, verset 6 : « L'amour est fort comme la mort ».

4. *faubourg Saint-Germain* : quartier traversé par le boulevard Saint-Germain, au nord
du jardin du Luxembourg ; voir la carte de Paris, p. 18-19.

5. *l'heure du Bois* : l'heure de la promenade au bois de Boulogne, parc aménagé à l'ouest
de Paris par l'ingénieur Jean-Charles Alphand, entre 1852 et 1870 ; voir la carte de
Paris, p. 18-19.

6. *PALLIDA VICTRIX* : qui triomphe par la mort. Littéralement : la pâle victorieuse. On pourrait aussi comprendre : la mort victorieuse.

Chancelant, il monta les blancs escaliers qui conduisaient à cette chambre où, le matin même, il avait couché dans un cercueil de velours et enveloppé de violettes, en des flots de batiste, sa dame de volupté, sa pâlissante épousée, Véra, son
20 désespoir.

En haut, la douce porte tourna sur le tapis ; il souleva la tenture.

Tous les objets étaient à la place où la comtesse les avait laissés la veille. La Mort, subite, avait foudroyé. La nuit dernière,
25 sa bien-aimée s'était évanouie en des joies si profondes, s'était perdue en de si exquises étreintes, que son cœur, brisé de délices, avait défailli : ses lèvres s'étaient brusquement mouillées d'une pourpre mortelle. À peine avait-elle eu le temps de donner à son époux un baiser d'adieu, en souriant, sans une
30 parole : puis ses longs cils, comme des voiles de deuil, s'étaient abaissés sur la belle nuit de ses yeux.

La journée sans nom était passée.

Vers midi, le comte d'Athol, après l'affreuse cérémonie du caveau familial, avait congédié au cimetière la noire escorte.
35 Puis, se renfermant, seul, avec l'ensevelie, entre les quatre murs de marbre, il avait tiré sur lui la porte de fer du mausolée. — De l'encens brûlait sur un trépied, devant le cercueil ; — une couronne lumineuse de lampes, au chevet de la jeune défunte, l'étoilait.

40 Lui, debout, songeur, avec l'unique sentiment d'une tendresse sans espérance, était demeuré là, tout le jour. Sur les six heures, au crépuscule, il était sorti du lieu sacré. En refermant le sépulcre, il avait arraché de la serrure la clef d'argent, et, se haussant sur la dernière marche du seuil, il l'avait
45 jetée doucement dans l'intérieur du tombeau. Il l'avait lancée sur les dalles intérieures par le trèfle qui surmontait le portail. — Pourquoi ceci ?... À coup sûr d'après quelque résolution mystérieuse de ne plus revenir.

Et maintenant il revoyait la chambre veuve.

50 La croisée, sous les vastes draperies de cachemire mauve
broché d'or, était ouverte : un dernier rayon du soir illumi-
nait, dans un cadre de bois ancien, le grand portrait de la tré-
passée. Le comte regarda, autour de lui, la robe jetée, la veille,
sur un fauteuil ; sur la cheminée, les bijoux, le collier de perles,
55 l'éventail à demi fermé, les lourds flacons de parfums qu'*Elle*
ne respirerait plus. Sur le lit d'ébène aux colonnes tordues,
resté défait, auprès de l'oreiller où la place de la tête adorée
et divine était visible encore au milieu des dentelles, il aperçut le mouchoir rougi de gouttes de sang où sa jeune âme avait
60 battu de l'aile un instant ; le piano ouvert, supportant une mélodie inachevée à jamais ; les fleurs indiennes cueillies par elle,
dans la serre, et qui se mouraient dans de vieux vases de Saxe ;
et, au pied du lit, sur une fourrure noire, les petites mules de
velours oriental, sur lesquelles une devise rieuse de Véra
65 brillait, brodée en perles : *Qui verra Véra l'aimera*. Les pieds
nus de la bien-aimée y jouaient hier matin, baisés, à chaque
pas, par le duvet des cygnes ! — Et là, là, dans l'ombre, la pendule, dont il avait brisé le ressort pour qu'elle ne sonnât plus
d'autres heures.

70 Ainsi elle était partie !… *Où* donc !… Vivre maintenant ? —
Pour quoi faire ?… C'était impossible, absurde.

Et le comte s'abîmait en des pensées inconnues.

Il songeait à toute l'existence passée. — Six mois s'étaient
écoulés depuis ce mariage. N'était-ce pas à l'étranger, au bal
75 d'une ambassade qu'il l'avait vue pour la première fois ?… Oui.
Cet instant ressuscitait devant ses yeux, très distinct. Elle lui
apparaissait là, radieuse. Ce soir-là, leurs regards s'étaient ren-
contrés. Ils s'étaient reconnus, intimement, de pareille nature,
et devant s'aimer à jamais.

80 Les propos décevants, les sourires qui observent, les insi-
nuations, toutes les difficultés que suscite le monde pour re-
tarder l'inévitable félicité de ceux qui s'appartiennent,
s'étaient évanouis devant la tranquille certitude qu'ils eurent,
à l'instant même, l'un de l'autre.

85   Véra, lassée des fadeurs cérémonieuses de son entourage, était venue vers lui dès la première circonstance contrariante, simplifiant ainsi, d'auguste façon, les démarches banales où se perd le temps précieux de la vie.

Oh! comme, aux premières paroles, les vaines appréciations
90   des indifférents à leur égard leur semblèrent une volée d'oiseaux de nuit rentrant dans les ténèbres! Quel sourire ils échangèrent! Quel ineffable embrassement!

Cependant leur nature était des plus étranges, en vérité! — C'étaient deux êtres doués de sens merveilleux, mais exclu-
95   sivement terrestres. Les sensations se prolongeaient en eux avec une intensité inquiétante. Ils s'y oubliaient eux-mêmes à force de les éprouver. Par contre, certaines idées, celles de l'âme, par exemple, de l'Infini, *de Dieu même*, étaient comme voilées à leur entendement. La foi d'un grand nombre de
100   vivants aux choses surnaturelles n'était pour eux qu'un sujet de vagues étonnements: lettre close dont ils ne se préoccupaient pas, n'ayant pas qualité pour condamner ou justifier. — Aussi, reconnaissant bien que le monde leur était étranger, ils s'étaient isolés, aussitôt leur union, dans ce vieux et sombre
105   hôtel, où l'épaisseur des jardins amortissait les bruits du dehors.

Là, les deux amants s'ensevelirent dans l'océan de ces joies languides et perverses où l'esprit se mêle à la chair mystérieuse! Ils épuisèrent la violence des désirs, les frémissements et les tendresses éperdues. Ils devinrent le battement de l'être
110   l'un de l'autre. En eux, l'esprit pénétrait si bien le corps, que leurs formes leur semblaient intellectuelles, et que les baisers, mailles brûlantes, les enchaînaient dans une fusion idéale. Long éblouissement! Tout à coup, le charme se rompait; l'accident terrible les désunissait; leurs bras s'étaient désenlacés.
115   Quelle ombre lui avait pris sa chère morte? Morte! non. Est-ce que l'âme des violoncelles est emportée dans le cri d'une corde qui se brise?

Les heures passèrent.

Il regardait, par la croisée, la nuit qui s'avançait dans les
120 cieux : et la Nuit lui apparaissait *personnelle* ; elle lui semblait
une reine marchant, avec mélancolie, — dans l'exil, et
l'agrafe de diamant de sa tunique de deuil, Vénus, seule,
brillait, au-dessus des arbres, perdue au fond de l'azur.

— C'est Véra, pensa-t-il.

125 À ce nom, prononcé tout bas, il tressaillit en homme qui
s'éveille ; puis, se dressant, regarda autour de lui.

Les objets, dans la chambre, étaient maintenant éclairés par
une lueur jusqu'alors imprécise, celle d'une veilleuse, bleuis-
sant les ténèbres, et que la nuit, montée au firmament, faisait
130 apparaître ici comme une autre étoile. C'était la veilleuse, aux
senteurs d'encens, d'un iconostase, reliquaire familial de Véra.
Le triptyque, d'un vieux bois précieux, était suspendu, par
sa sparterie russe, entre la glace et le tableau. Un reflet des ors
de l'intérieur tombait, vacillant, sur le collier, parmi les joyaux
135 de la cheminée.

Le plein-nimbe[1] de la Madone en habits de ciel brillait,
rosacé de[2] la croix byzantine dont les fins et rouges linéaments,
fondus dans le reflet, ombraient d'une teinte de sang l'orient[3]
ainsi allumé des perles. Depuis l'enfance, Véra plaignait, de
140 ses grands yeux, le visage maternel et si pur de l'héréditaire
madone, et, de sa nature, hélas ! ne pouvant lui consacrer
qu'un *superstitieux* amour, le lui offrait parfois, naïve, pensi-
vement, lorsqu'elle passait devant la veilleuse.

Le comte, à cette vue, touché de rappels douloureux jus-
145 qu'au plus secret de l'âme, se dressa, souffla vite la lueur sainte,
et, à tâtons, dans l'ombre, étendant la main vers une torsade,
sonna.

Un serviteur parut : c'était un vieillard vêtu de noir ; il tenait une lampe, qu'il posa devant le portrait de la comtesse.

---

1. *plein-nimbe* : couronne de gloire.
2. *rosacé de* : teinté de rose par.
3. *orient* : irisation.

150 Lorsqu'il se retourna, ce fut avec un frisson de superstitieuse terreur qu'il vit son maître debout et souriant comme si rien ne se fût passé.

— Raymond, dit tranquillement le comte, *ce soir, nous sommes accablés de fatigue, la comtesse et moi* ; tu serviras le
155 souper vers dix heures. — À propos, nous avons résolu de nous isoler davantage, ici, dès demain. Aucun de mes serviteurs, hors toi, ne doit passer la nuit dans l'hôtel. Tu leur remettras les gages de trois années, et qu'ils se retirent. — Puis, tu fermeras la barre du portail ; tu allumeras les flambeaux en
160 bas, dans la salle à manger ; tu nous suffiras. — Nous ne recevrons personne à l'avenir.

Le vieillard tremblait et le regardait attentivement.

Le comte alluma un cigare et descendit aux jardins.

Le serviteur pensa d'abord que la douleur trop lourde, trop
165 désespérée, avait égarée l'esprit de son maître. Il le connaissait depuis l'enfance ; il comprit, à l'instant, que le heurt d'un réveil trop soudain pouvait être fatal à ce somnambule. Son devoir, d'abord, était le respect d'un tel secret.

Il baissa la tête. Une complicité dévouée à ce religieux rêve ?
170 Obéir ?… Continuer de les servir sans tenir compte de la Mort ? — Quelle étrange idée !… Tiendrait-elle une nuit ?… Demain, demain, hélas !… Ah ! qui savait ?… Peut-être !… — Projet sacré, après tout ! — De quel droit réfléchissait-il ?…

Il sortit de la chambre, exécuta les ordres à la lettre et, le
175 soir même, l'insolite existence commença.

Il s'agissait de créer un mirage terrible.

La gêne des premiers jours s'effaça vite. Raymond, d'abord avec stupeur, puis par une sorte de déférence et de tendresse, s'était ingénié si bien à être naturel, que trois semaines ne
180 s'étaient pas écoulées qu'il se sentit, par moments, presque dupe lui-même de sa bonne volonté. L'arrière-pensée pâlissait ! Parfois, éprouvant une sorte de vertige, il eut besoin de se dire que la comtesse était positivement défunte. Il se

prenait à ce jeu funèbre et oubliait à chaque instant la réalité.
185 Bientôt il lui fallut plus d'une réflexion pour se convaincre et
se ressaisir. Il vit bien qu'il finirait par s'abandonner tout entier au magnétisme effrayant autour d'eux. Il avait peur, une
peur indécise, douce.

D'Athol, en effet, vivait absolument dans l'inconscience de
190 la mort de sa bien-aimée ! Il ne pouvait que la trouver toujours présente, tant la forme de la jeune femme était mêlée
à la sienne. Tantôt, sur un banc de jardin, les jours de soleil,
il lisait, à haute voix, les poésies qu'elle aimait ; tantôt, le soir,
auprès du feu, les deux tasses de thé sur un guéridon, il
195 causait avec l'*Illusion* souriante, assise, à ses yeux, sur l'autre
fauteuil.

Les jours, les nuits, les semaines s'envolèrent. Ni l'un ni
l'autre ne savait ce qu'ils accomplissaient. Et des phénomènes
singuliers se passaient maintenant, où il devenait difficile de
200 distinguer le point où l'imaginaire et le réel étaient identiques.
Une présence flottait dans l'air : une forme s'efforçait de trans-
paraître, de se tramer sur l'espace devenu indéfinissable.

D'Athol vivait double, en illuminé. Un visage doux et pâle,
entrevu comme l'éclair, entre deux clins d'yeux ; un faible ac-
205 cord frappé au piano, tout à coup ; un baiser qui lui fermait
la bouche au moment où il allait parler, des affinités de pensées *féminines* qui s'éveillaient en lui en réponse à ce qu'il
disait, un dédoublement de lui-même tel, qu'il sentait,
comme en un brouillard fluide, le parfum vertigineusement
210 doux de sa bien-aimée auprès de lui, et, la nuit, entre la veille
et le sommeil, des paroles entendues très bas : tout l'avertis-
sait. C'était une négation de la Mort élevée, enfin, à une
puissance inconnue !

Une fois, d'Athol la sentit et la vit si bien auprès de lui, qu'il
215 la prit dans ses bras : mais ce mouvement la dissipa.

— Enfant ! murmura-t-il en souriant.

Et il se rendormit comme un amant boudé par sa maîtresse
rieuse et ensommeillée.

Le jour de *sa* fête, il plaça, par plaisanterie, une immortelle
220   dans le bouquet qu'il jeta sur l'oreiller de Véra.

— Puisqu'elle se croit morte, dit-il.

Grâce à la profonde et toute-puissante volonté de
M. d'Athol, qui, à force d'amour, forgeait la vie et la présence
de sa femme dans l'hôtel solitaire, cette existence avait fini par
225   devenir d'un charme sombre et persuadeur[1]. — Raymond, lui-
même, n'éprouvait plus aucune épouvante, s'étant graduellement habitué à ces impressions.

Une robe de velours noir aperçue au détour d'une allée ;
une voix rieuse qui l'appelait dans le salon ; un coup de son-
230   nette le matin, à son réveil, comme autrefois ; tout cela lui était
devenu familier : on eût dit que la morte jouait à l'invisible,
comme une enfant. Elle se sentait aimée tellement ! C'était bien
naturel.

Une année s'était écoulée.

235   Le soir de l'Anniversaire, le comte, assis auprès du feu, dans
la chambre de Véra, venait de *lui* lire un fabliau florentin :
Callimaque[2]. Il ferma le livre ; puis en se servant du thé :

— *Douschka*[3], dit-il, te souviens-tu de la Vallée-des-
Roses[4], des bords de la Lahn[5], du château des Quatre-
240   Tours[6] ?… Cette histoire te les a rappelés, n'est-ce pas ?

Il se leva, et, dans la glace bleuâtre, il se vit plus pâle qu'à
l'ordinaire. Il prit un bracelet de perles dans une coupe et regarda les perles attentivement. Véra ne les avait-elle pas ôtées
de son bras, tout à l'heure, avant de se dévêtir ? Les perles

---

1. *persuadeur* : (peu usité) persuasif. Attesté dans le *Thrésor de la langue françoyse* (1606)
   de Nicot.

2. *fabliau florentin* : Callimaque : serait-ce une allusion à la nouvelle libertine
   La Mandragore de Jean de La Fontaine (1621-1695), publiée en 1671, inspirée du
   florentin Machiavel, dans laquelle on trouve un amant entreprenant nommé
   Callimaque ?

3. Douschka : en russe, signifie « ma douce ».

4. *Vallée-des-Roses* : sans doute la Vallée des roses, près de Sofia, en Bulgarie.

5. *Lahn* : rivière d'Allemagne.

6. *château des Quatre-Tours* : peut-être le château de Thorenc, dans les Alpes.

245 étaient encore tièdes et leur orient[1] plus adouci, comme par
la chaleur de sa chair. Et l'opale de ce collier sibérien[2], qui aimait aussi le beau sein de Véra jusqu'à pâlir, maladivement,
dans son treillis d'or, lorsque la jeune femme l'oubliait
pendant quelque temps ! Autrefois, la comtesse aimait pour
250 cela cette pierrerie[3] fidèle !… Ce soir l'opale brillait comme
si elle venait d'être quittée et comme si le magnétisme exquis
de la belle morte la pénétrait encore. En reposant le collier
et la pierre précieuse, le comte toucha par hasard le mouchoir
de batiste dont les gouttes de sang étaient humides et
255 rouges comme des œillets sur de la neige !… Là, sur le piano,
qui donc avait tourné la page finale de la mélodie d'autrefois ?
Quoi ! la veilleuse sacrée s'était rallumée, dans le reliquaire !
Oui, sa flamme dorée éclairait mystiquement le visage, aux
yeux fermés, de la Madone ! Et ces fleurs orientales, nouvel-
260 lement cueillies, qui s'épanouissaient là, dans les vieux
vases de Saxe, quelle main venait de les y placer ? La
chambre semblait joyeuse et douée de vie, d'une façon plus
significative et plus intense que d'habitude. Mais rien ne pouvait surprendre le comte ! Cela lui semblait tellement normal,
265 qu'il ne fit même pas attention que l'heure sonnait à cette pendule arrêtée depuis une année.

Ce soir-là, cependant, on eût dit que, du fond des ténèbres,
la comtesse Véra s'efforçait adorablement de revenir dans cette
chambre tout embaumée d'elle ! Elle y avait laissé tant de sa
270 personne ! Tout ce qui avait constitué son existence l'y attirait. Son charme y flottait ; les longues violences faites par la
volonté passionnée de son époux y devaient avoir desserré les
vagues liens de l'Invisible autour d'elle !…

Elle y était *nécessitée*. Tout ce qu'elle aimait, c'était là.

---

1. *orient* : irisation.
2. *collier sibérien* : collier de Sibérie. Véra est probablement une slave de Sibérie.
3. *pierrerie* : ne s'utilise aujourd'hui qu'au pluriel. Attesté au singulier dans le *Thrésor de la langue française* (1606) de Nicot.

275   Elle devait avoir envie de venir se sourire encore en cette
glace mystérieuse où elle avait tant de fois admiré son lilial
visage! La douce morte, là-bas, avait tressailli, certes, dans ses
violettes, sous les lampes éteintes; la divine morte avait frémi,
dans le caveau, toute seule, en regardant la clef d'argent jetée
280   sur les dalles. Elle voulait s'en venir vers lui, aussi! Et sa
volonté se perdait dans l'idée de l'encens et de l'isolement. La
Mort n'est une circonstance définitive que pour ceux qui
espèrent des cieux; mais la Mort, et les Cieux, et la Vie, pour
elle, n'était-ce pas leur embrassement? Et le baiser solitaire
285   de son époux attirait ses lèvres, dans l'ombre. Et le son passé
des mélodies, les paroles enivrées de jadis, les étoffes qui cou-
vraient son corps et en gardaient le parfum, ces pierreries ma-
giques qui la *voulaient*, dans leur obscure sympathie, — et surtout l'immense et absolue impression de sa présence, opinion
290   partagée à la fin par les choses elles-mêmes, tout l'appelait là,
l'attirait là depuis si longtemps, et si insensiblement, que, gué-
rie enfin de la dormante Mort, il ne manquait plus qu'*Elle
seule*!

    Ah! les Idées sont des êtres vivants!… Le comte avait creusé
295   dans l'air la forme de son amour, et il fallait bien que ce vide
fût comblé par le seul être qui lui était homogène, autrement
l'Univers aurait croulé. L'impression passa, en ce moment, définitive, simple, absolue, qu'*Elle devait être là, dans la chambre!*
Il en était aussi tranquillement certain que de sa propre exis-
300   tence, et toutes les choses, autour de lui, étaient saturées de
cette conviction. On l'y voyait! Et, *comme il ne manquait plus
que Véra elle-même*, tangible, extérieure, *il fallut bien qu'elle s'y
trouvât* et que le grand Songe de la Vie et de la Mort entr'ouvrît[1]
un moment ses portes infinies! Le chemin de résurrection était
305   envoyé par la foi jusqu'à elle! Un frais éclat de rire musical
éclaira de sa joie le lit nuptial; le comte se retourna. Et là, devant ses yeux, faite de volonté et de souvenir, accoudée, fluide,

---

1. *entr'ouvrît*: orthographe ancienne du verbe « entrouvrir ».

sur l'oreiller de dentelles, sa main soutenant ses lourds cheveux noirs, sa bouche délicieusement entr'ouverte en un sou-
310 rire tout emparadisé de voluptés[1], belle à en mourir, enfin!
la comtesse Véra le regardait un peu endormie encore.

— Roger!... dit-elle d'une voix lointaine.

Il vint auprès d'elle. Leurs lèvres s'unirent dans une joie divine, — oublieuse, — immortelle!

315 Et ils s'aperçurent, *alors*, qu'ils n'étaient, réellement, qu'*un
seul être*.[2]

Les heures effleurèrent d'un vol étranger cette extase où se
mêlaient, pour la première fois, la terre et le ciel.

Tout à coup, le comte d'Athol tressaillit, comme frappé
320 d'une réminiscence fatale.

— Ah! maintenant, je me rappelle!... dit-il. Qu'ai-je
donc? — Mais tu es morte!

À l'instant même, à cette parole la mystique veilleuse de
l'iconostase s'éteignit. Le pâle petit jour du matin, — d'un
325 matin banal, grisâtre et pluvieux —, filtra dans la chambre
par les interstices des rideaux. Les bougies blêmirent et s'éteignirent, laissant fumer âcrement leurs mèches rouges; le feu
disparut sous une couche de cendres tièdes; les fleurs se fa-
nèrent et se desséchèrent en quelques moments; le balancier
330 de la pendule reprit graduellement son immobilité. La *certitude* de tous les objets s'envola subitement. L'opale, morte,
ne brillait plus; les taches de sang s'étaient fanées aussi, sur
la batiste, auprès d'elle; et s'effaçant entre les bras désespé-
rés qui voulaient en vain l'étreindre encore, l'ardente et blanche
335 vision rentra dans l'air et s'y perdit. Un faible soupir d'adieu,
distinct, lointain, parvint jusqu'à l'âme de Roger. Le comte se
dressa; il venait de s'apercevoir qu'il était seul. Son rêve
venait de se dissoudre d'un seul coup; il avait brisé le

---

1. *emparadisé de voluptés*: qui exprime des voluptés paradisiaques. « Emparadisé » est
un néologisme.

2. La version publiée en 1874 se terminait ici.

magnétique fil de sa trame radieuse avec une seule parole.

340 L'atmosphère était, maintenant, celle des défunts.

Comme ces larmes de verre, agrégées illogiquement, et cependant si solides qu'un coup de maillet sur leur partie épaisse ne les briserait pas, mais qui tombent en une subite et impalpable poussière si l'on en casse l'extrémité plus fine que

345 la pointe d'une aiguille, tout s'était évanoui.

— Oh! murmura-t-il, c'est donc fini! — Perdue!… Toute seule! – Quelle est la route, maintenant, pour parvenir jusqu'à toi? Indique-moi le chemin qui peut me conduire vers toi!…

350 Soudain, comme une réponse, un objet brillant tomba du lit nuptial, sur la noire fourrure, avec un bruit métallique: un rayon de l'affreux jour terrestre l'éclaira!… L'abandonné se baissa, le saisit, et un sourire sublime illumina son visage en reconnaissant cet objet: c'était la clef du tombeau.

Paru pour la première fois dans
La Semaine parisienne du 7 mai 1874.
Paru dans *Contes cruels* en 1883.

À s'y méprendre[1]

Dardant on ne sait où leurs globes ténébreux[2].

Charles Baudelaire

Par une grise matinée de novembre, je descendais les quais
d'un pas hâtif. Une bruine froide mouillait l'atmosphère. De
passants noirs, obombrés de parapluies difformes, s'entre-
croisaient.

5   La Seine jaunie charriait ses bateaux marchands pareils à
des hannetons démesurés. Sur les ponts, le vent cinglait brusquement les chapeaux, que leurs possesseurs disputaient à l'espace avec ces attitudes et ces contorsions dont le spectacle est
toujours si pénible pour l'artiste.

10   Mes idées étaient pâles et brumeuses; la préoccupation d'un
rendez-vous d'affaires, accepté depuis la veille, me harcelait
l'imagination. L'heure me pressait: je résolus de m'abriter sous
l'auvent d'un portail d'où il me serait plus commode de faire
signe à quelque fiacre.

15   À l'instant même, j'aperçus, tout justement à côté de moi,
l'entrée d'un bâtiment carré, d'aspect bourgeois[3].

Il s'était dressé dans la brume comme une apparition de
pierre, et, malgré la rigidité de son architecture, malgré la buée
morne et fantastique dont il était enveloppé, je lui reconnus,
20   tout de suite, un certain air d'hospitalité cordiale qui me ras-
séréna l'esprit.

---

1. Nous avons retenu, pour l'essentiel, le texte de l'édition d'Auguste Villiers de l'Isle-
Adam, *Contes cruels*, édition présentée et annotée par Pierre Reboul, coll. Folio, Paris,
Gallimard, 1983, 412 pages (p. 164-167), ainsi que l'édition d'Auguste Villiers de
l'Isle-Adam, *Contes cruels. Nouveaux Contes cruels*, édition préparée par Pierre-Georges
Castex, Paris, Garnier, 1968, 502 pages (p. 128-132).

2. Il s'agit du vers 4 du sonnet «Les Aveugles», poème CXXVII des *Fleurs du mal* (1857)
de Charles Baudelaire (1821-1867).

3. *un bâtiment carré, d'aspect bourgeois* : la morgue était située derrière la cathédrale Notre-
Dame de Paris; voir la carte de Paris, p. 18-19.

— À coup sûr, me dis-je, les hôtes de cette demeure sont des gens sédentaires ! — Ce seuil invite à s'y arrêter : la porte n'est-elle pas ouverte ?

25   Donc, le plus poliment du monde, l'air satisfait, le chapeau à la main, — méditant même un madrigal pour la maîtresse de la maison, — j'entrai, souriant, et me trouvai, de plain-pied, devant une espèce de salle à toiture vitrée, d'où le jour tombait, livide.

30   À des colonnes étaient appendus des vêtements, des cache-nez, des chapeaux.

Des tables de marbre étaient disposées de toutes parts.

Plusieurs individus, les jambes allongées, la tête élevée, les yeux fixes, l'air positif[1], paraissaient méditer.

35   Et les regards étaient sans pensée, les visages couleur du temps.

Il y avait des portefeuilles ouverts, des papiers dépliés auprès de chacun d'eux.

Et je reconnus, alors, que la maîtresse du logis, sur l'ac-
40   cueillante courtoisie de laquelle j'avais compté, n'était autre que la Mort.

Je considérai mes hôtes.

Certes, pour échapper aux soucis de l'existence tracassière, la plupart de ceux qui occupaient la salle avaient assassiné
45   leurs corps, espérant, ainsi, un peu plus de bien-être[2].

Comme j'écoutais le bruit des robinets de cuivre scellés à la muraille et destinés à l'arrosage quotidien de ces restes mortels, j'entendis le roulement d'un fiacre. Il s'arrêtait devant l'établissement. Je fis la réflexion que mes gens d'affaires atten-
50   daient. Je me retournai pour profiter de la bonne fortune[3]. Le

---

1. *l'air positif* : l'air sérieux, pragmatique, de gens qui ne tiennent compte que des faits et des réalités objectives.

2. *assassiné leurs corps* [...] *bien-être* : allusion hégélienne aux rapports entre l'esprit et la matière, et à la supériorité du premier sur la seconde.

3. *la bonne fortune* : la chance de pouvoir monter dans le fiacre qui vient de se vider.

fiacre venait, en effet, de dégorger, au seuil de l'édifice, des collégiens en goguette qui avaient besoin de voir la mort pour y croire.

J'avisai la voiture déserte et je dis au cocher :

55   — Passage[1] de l'Opéra[2] !

Quelque temps après, aux boulevards, le temps me sembla plus couvert, faute d'horizon. Les arbustes, végétations squelettes, avaient l'air, du bout de leurs branchettes noires, d'indiquer vaguement les piétons aux gens de police
60   ensommeillés encore.

La voiture se hâtait.

Les passants, à travers la vitre, me donnaient l'idée de l'eau qui coule.

Une fois à destination, je sautai sur le trottoir et m'enga-
65   geai dans le passage encombré de figures soucieuses.

À son extrémité, j'aperçus, tout justement vis-à-vis de moi, l'entrée d'un café, — aujourd'hui consumé dans un incendie célèbre[3] (car la vie est un songe[4]), — et qui était relégué au fond d'une sorte de hangar, sous une voûte carrée, d'aspect
70   morne. Les gouttes de pluie qui tombaient sur le vitrage supérieur obscurcissaient encore la pâle lueur du soleil.

— C'était là que m'attendaient, pensai-je, la coupe en main, l'œil brillant et narguant le Destin, mes hommes d'affaires !

Je tournai donc le bouton de la porte et me trouvai, de
75   plain-pied, dans une salle où le jour tombait d'en haut, par le vitrage, livide.

À des colonnes étaient appendus des vêtements, des cache-nez, des chapeaux.

---

1. *Passage* : endroit par où l'on peut passer, en général interdit aux voitures.

2. *Passage de l'Opéra* : ancienne rue piétonnière et couverte qui partait de l'Opéra ; voir la carte de Paris, p. 18-19.

3. *un incendie célèbre* : allusion à l'incendie de la salle Le Peletier, alors le site de l'Opéra, et du *Café Divan de l'Opéra* en 1873.

4. *la vie est un songe* : allusion à la pièce du même nom, écrite en 1631 par l'espagnol Calderón de la Barca (1600-1681) sur les thèmes du destin inéluctable et de la difficulté de distinguer le réel de l'imaginaire.

Des tables de marbre étaient disposées de toutes parts.

80   Plusieurs individus, les jambes allongées, la tête levée, les yeux fixes, l'air positif, paraissaient méditer.

Et les visages étaient couleur du temps, les regards sans pensée.

Il y avait des portefeuilles ouverts et des papiers dépliés
85   auprès de chacun d'eux.

Je considérai ces hommes.

Certes, pour échapper aux obsessions de l'insupportable conscience, la plupart de ceux qui occupaient la salle avaient, depuis longtemps, assassiné leurs « âmes », espérant,
90   ainsi, un peu plus de bien-être.

Comme j'écoutais le bruit des robinets de cuivre, scellés à la muraille, et destinés à l'arrosage quotidien de ces restes mortels, le souvenir du roulement de la voiture me revint à l'esprit.

95   — À coup sûr, me dis-je, il faut que ce cocher ait été frappé, à la longue, d'une sorte d'hébétude, pour m'avoir ramené, après tant de circonvolutions, simplement à notre point de départ ? — Toutefois, je l'avoue (s'il y a méprise), LE SECOND COUP D'ŒIL EST PLUS SINISTRE QUE LE PREMIER !...

100   Je refermai donc, en silence, la porte vitrée et je revins chez moi, — bien décidé, au mépris de l'exemple[1], — et quoi qu'il pût m'advenir, — *à ne jamais faire d'affaires.*

Paru dans *Le Spectateur*, le 16 décembre 1875.

---

1. *l'exemple* : celui que me donnaient ces gens d'affaires.

Le désir d'être un homme[1]

> *Un de ces hommes devant lesquels la Nature*
> *peut se dresser et dire : « Voilà un Homme ! »*
> Shakespeare, *Jules César.*

Minuit sonnait à la Bourse[2], sous un ciel plein d'étoiles. À cette époque[3], les exigences d'une loi militaire pesaient encore sur les citadins et, d'après les injonctions relatives au couvre-feu, les garçons des établissements encore illuminés
5 s'empressaient pour la fermeture.

Sur les boulevards, à l'intérieur des cafés, les papillons de gaz des girandoles s'envolaient très vite, un à un, dans l'obscurité. L'on entendait du dehors le brouhaha des chaises portées en quatuors sur les tables de marbre ; c'était l'instant psy-
10 chologique où chaque limonadier juge à propos d'indiquer, d'un bras terminé par une serviette, les fourches caudines de[4] la porte basse aux derniers consommateurs.

Ce dimanche-là sifflait le triste vent d'octobre. De rares feuilles jaunies, poussiéreuses et bruissantes, filaient dans les
15 rafales, heurtant les pierres, rasant l'asphalte, puis, semblances de[5] chauves-souris, disparaissaient dans l'ombre, éveillant ainsi l'idée de jours banals à jamais vécus. Les théâtres du boule-

---

1. Nous avons retenu, pour l'essentiel, le texte de l'édition d'Auguste Villiers de l'Isle-Adam, *Contes cruels,* édition présentée et annotée par Pierre Reboul, coll. Folio, Paris, Gallimard, 1983, 112 pages (p. 206-218), ainsi que l'édition d'Auguste Villiers de l'Isle-Adam, *Contes cruels. Nouveaux Contes cruels,* édition préparée par Pierre-Georges Castex, Paris, Garnier, 1968, 502 pages (p. 167-177).

2. *Bourse :* bâtiment situé au nord du Louvre, dans le prolongement ouest de la rue Turbigo ; voir la carte de Paris, p. 18-19.

3. *À cette époque :* peu de temps après la guerre franco-prussienne (1870) et les troubles qui s'ensuivirent.

4. *les fourches caudines de :* le pénible et étroit passage de.

5. *semblances de :* (vieux) telles des. Répertorié dans *Le Thrésor de la langue française* (1606) de Nicot.

Il Fuoco (1566), Giuseppe Arcimboldo (1527-1593). Peinture.

vard du Crime[1] où, pendant la soirée, s'étaient entrepoignardés[2] à l'envi tous les Médicis, tous les Salviati et tous les
20   Montefeltre[3], se dressaient, repaires du Silence, aux portes
muettes gardées par leurs cariatides. Voitures et piétons, d'instant en instant, devenaient plus rares ; çà et là, de sceptiques
falots de chiffonniers luisaient déjà, phosphorescences dé-
gagées par les tas d'ordures au-dessus desquels ils erraient.
25   À la hauteur de la rue Hauteville[4], sous un réverbère à
l'angle d'un café d'assez luxueuse apparence, un grand passant à physionomie saturnienne, au menton glabre, à la dé-
marche somnambulesque[5], aux longs cheveux grisonnants
sous un feutre genre Louis XIII[6], ganté de noir sur une canne
30   à tête d'ivoire et enveloppé d'une vieille houppelande bleu de
roi, fourrée de douteux astrakan, s'était arrêté comme s'il eût
machinalement hésité à franchir la chaussée qui le séparait
du boulevard Bonne-Nouvelle[7].
Ce personnage attardé regagnait-il son domicile ? Les
35   seuls hasards d'une promenade nocturne l'avaient-ils conduit
à ce coin de rue ? Il eût été difficile de le préciser à son aspect.
Toujours est-il qu'en apercevant tout à coup, sur sa droite, une
de ces glaces étroites et longues comme sa personne — sortes
de miroirs publics d'attenance[8], parfois, aux devantures

---

1. *boulevard du Crime* : surnom du boulevard du Temple où, au temps de l'auteur, on
présentait de populaires mélodrames aux multiples scènes de meurtres. Ce boulevard se termine place de la République, à l'est de la rue Turbigo ; voir la carte de Paris,
p. 18-19.

2. *entrepoignardés* : (néologisme) poignardés entre eux.

3. *tous les Médicis, tous les Salviati et tous les Montefeltre* : noms de grandes familles de
la Renaissance italienne, qui ont fourni au théâtre de multiples personnages d'assassins et de victimes, entre autres au théâtre romantique.

4. *rue Hauteville* : rue située au nord du boulevard Bonne-Nouvelle, au sud de la gare
du Nord entre les rues du Faubourg de la Poissonnière et du Faubourg Saint-Denis ;
voir la carte de Paris, p. 18-19.

5. *somnambulesque* : (néologisme) somnambulique.

6. *feutre genre Louis XIII* : chapeau de feutre empanaché et à large bordure porté à l'époque
de Louis XIII.

7. *boulevard Bonne-Nouvelle* : voir plus haut la note 4.

8. *attenance* : (vieux ; terme de construction) dépendance contiguë rattachée.

40 d'estaminets marquants — il fit une halte brusque, se
campa, de face, vis-à-vis de son image et se toisa, délibéré-
ment, des bottes au chapeau. Puis, soudain, levant son feutre
d'un geste qui sentait son autrefois, il se salua non sans quelque
courtoisie.

Sa tête, ainsi découverte à l'improviste, permit alors de
45 reconnaître l'illustre tragédien Esprit Chaudval, né Lepeinteur,
dit Monanteuil, rejeton d'une très digne famille de pilotes
malouins[1] et que les mystères de la Destinée avaient induit
à devenir grand premier rôle de province, tête d'affiche à
l'étranger et rival (souvent heureux) de notre Frédérick
50 Lemaître.

Pendant qu'il se considérait avec cette sorte de stupeur, les
garçons du café voisin endossaient les pardessus aux derniers
habitués, leur désaccrochaient[2] les chapeaux ; d'autres ren-
versaient bruyamment le contenu des tirelires de nickel et em-
55 pilaient en rond sur un plateau le billon de la journée[3]. Cette
hâte, cet effarement provenaient de la présence menaçante de
deux subits sergents de ville qui, debout sur le seuil et les bras
croisés, harcelaient de leur froid regard le patron retardataire.

Bientôt les auvents furent boulonnés dans leurs châssis de
60 fer, — à l'exception du volet de la glace qui, par une inad-
vertance étrange, fut omis au milieu de la précipitation
générale.

Puis le boulevard devint très silencieux. Chaudval seul,
inattentif à toute cette disparition, était demeuré dans son
65 attitude extatique au coin de la rue Hauteville, sur le trottoir,
devant la glace oubliée.

Ce miroir livide et lunaire paraissait donner à l'artiste la sensation que celui-ci eût éprouvée en se baignant dans un étang ;
Chaudval frissonnait.

---

1. *malouins* : habitants de Saint-Malo.
2. *désaccrochaient* : (néologisme) décrochaient.
3. *le billon de la journée* : la petite monnaie reçue en pourboire durant la journée.

70 Hélas ! disons-le, en ce cristal cruel et sombre, le comédien venait de s'apercevoir vieillissant.

Il constatait que ses cheveux, hier encore poivre et sel, tournaient au clair de lune ; c'en était fait ! Adieu rappels et couronnes, adieu roses de Thalie, lauriers de Melpomène[1] ! Il fal-
75 lait prendre congé pour toujours, avec des poignées de mains et des larmes, des Ellevious et des Laruettes, des grandes livrées et des rondeurs, des Dugazons et des ingénues ![2]

Il fallait descendre en toute hâte du chariot de Thespis[3] et le regarder s'éloigner, emportant les camarades ! Puis, voir les
80 oripeaux et les banderoles qui, le matin, flottaient au soleil jusque sur les roues, jouets du vent joyeux de l'Espérance, les voir disparaître au coude lointain de la route, dans le crépuscule.

Chaudval, brusquement conscient de la cinquantaine
85 (c'était un excellent homme), soupira. Un brouillard lui passa devant les yeux ; une espèce de fièvre hivernale le saisit et l'hallucination dilata ses prunelles.

La fixité hagarde avec laquelle il sondait la glace providentielle finit par donner à ses pupilles cette faculté d'agran-
90 dir les objets et de les saturer de solennité, que les physiolo-

---

1. *roses de Thalie, lauriers de Melpomène* : Thalie portait une couronne de lierre et Melpomène arborait une couronne de lauriers. Villiers de l'Isle-Adam se trompe-t-il dans les récompenses en attribuant ici les roses (appelées aussi lauriers-roses) à l'une et les lauriers à l'autre ?

2. *Thalie* [...] *Melpomène* [...] *Ellevious* [...] *Laruettes* [...] *Dugazons* [...] : noms propres renvoyant à l'art de la scène. Chaudval se remémore ainsi son glorieux passé d'acteur : *Thalie* : muse qui préside à la comédie et à la poésie légère ; *Melpomène* : autre muse, patronne de la tragédie ; *Ellevious* : Jean Elleviou (1769-1842), célèbre voix d'opéra-comique, fut félicité par Napoléon en 1809, joua les galants chevaliers français et tint, en 1793, le rôle d'Almaviva dans *Le Barbier de Séville* (1775) de Rossini ; *Laruettes* : Jean-Louis Laruette (1731-1792), célèbre ténor léger français, laissa son nom à des rôles de pères, de banquiers, etc. écrits pour voix aiguës et appelées encore aujourd'hui des « laruettes » ; *Dugazons* : Rose Lefebvre Dugazon (1755-1821), comédienne et chanteuse d'opéra-comique (1755-1821), donna son nom à deux emplois : les « dugazons » (jeunes amoureuses) et les « mères dugazons » (jeunes mères).

3. *Thespis* : (VIᵉ siècle av. J.-C.) premier acteur tragique grec à qui on attribue notamment l'invention de la tragédie, des tirades parlées plutôt que chantées, du masque et du jeu de l'acteur. Sur son chariot, il aurait amené à Athènes la première troupe d'acteurs ambulants.

gistes ont constatée chez les individus frappés d'une émotion
très intense.

Le long miroir se déforma donc sous ses yeux chargés
d'idées troubles et atones. Des souvenirs d'enfance, de
95   plages et de flots argentés lui dansèrent dans la cervelle. Et
ce miroir, sans doute à cause des étoiles qui en approfondis-
saient la surface, lui causa d'abord la sensation de l'eau dormante d'un golfe. Puis s'enflant encore, grâce aux soupirs du
vieillard, la glace revêtit l'aspect de la mer et de la nuit, ces
100   deux vieilles amies des cœurs déserts.

Il s'enivra quelque temps de cette vision, mais le réverbère
qui rougissait la bruine froide derrière lui, au-dessus de sa tête,
lui sembla, répercuté au fond de la terrible glace, comme la
lueur d'un phare couleur de sang qui indiquait le chemin du
105   naufrage au vaisseau perdu de son avenir.

Il secoua ce vertige et se redressa, dans sa haute taille, avec
un éclat de rire nerveux, faux et amer, qui fit tressaillir, sous
les arbres, les deux sergents de ville. Fort heureusement pour
l'artiste, ceux-ci, croyant à quelque vague ivrogne, à quelque
110   amoureux déçu, peut-être, continuèrent leur promenade officielle sans accorder plus d'importance au misérable
Chaudval.

— Bien, renonçons ! dit-il simplement et à voix basse,
comme le condamné à mort qui, subitement réveillé, dit au
115   bourreau : « Je suis à vous, mon ami. »

Le vieux comédien s'aventura, dès lors, en un monologue,
avec une prostration hébétée.

— J'ai prudemment agi, continua-t-il, quand j'ai chargé,
l'autre soir, mademoiselle Pinson[1], ma bonne camarade (qui
120   a l'oreille du ministre et même l'oreiller), de m'obtenir, entre
deux aveux brûlants, cette place de gardien de phare dont

---

1. *mademoiselle Pinson* : probablement une allusion à Mimi Pinson, personnage célèbre
d'Alfred de Musset (1810-1857) dans sa nouvelle intitulée « Mimi Pinson, profil de
grisette », publiée en 1845. Cette nouvelle raconte l'histoire d'une jeune couturière
de Paris, républicaine et peu farouche.

jouissaient mes pères sur les côtes ponantaises[1]. Et, tiens ! je
comprends l'effet bizarre que m'a produit ce réverbère dans
cette glace !… C'était mon arrière-pensée. — Pinson va m'en-
125 voyer mon brevet, c'est sûr. Et j'irai donc me retirer dans mon
phare comme un rat dans un fromage. J'éclairerai les vaisseaux
au loin, sur la mer. Un phare ! cela vous a toujours l'air d'un
décor. Je suis seul au monde : c'est l'asile qui, décidément,
convient à mes vieux jours.

130   Tout à coup, Chaudval interrompit sa rêverie.

         — Ah çà ! dit-il, en se tâtant la poitrine sous sa houppe-
lande, mais… cette lettre remise par le facteur au moment où
je sortais, c'est sans doute la réponse ?… Comment ! j'allais
entrer au café pour la lire et je l'oublie ! — Vraiment, je baisse !
135 — Bon ! la voici !

         Chaudval venait d'extraire de sa poche une large enveloppe,
d'où s'échappa, sitôt rompue, un pli ministériel qu'il ramassa
fiévreusement et parcourut, d'un coup d'œil, sous le rouge feu
du réverbère.

140   — Mon phare ! mon brevet ! s'écria-t-il. « Sauvé, mon
Dieu ! » ajouta-t-il comme par une vieille habitude machinale
et d'une voix de fausset si brusque, si différente de la sienne
qu'il en regarda autour de lui, croyant à la présence d'un tiers.

         — Allons, du calme et… *soyons homme* ! reprit-il bientôt.
145 Mais, à cette parole, Esprit Chaudval, né Lepeinteur, dit
Monanteuil, s'arrêta comme changé en statue de sel ; ce mot
semblait l'avoir immobilisé.

         — Hein ? continua-t-il après un silence. — Que viens-je
de souhaiter là ? — D'être un Homme ?… Après tout, pour-
150 quoi pas ?

         Il se croisa les bras, réfléchissant.

         — Voici près d'un demi-siècle que je *représente*, que je *joue*
les passions des autres sans jamais les éprouver, — car, au

---

1. *ponantaises* : du Ponant ; nom des quinze îles situées au large de Roscoff, en Bretagne.

fond, je n'ai jamais rien éprouvé, moi. — Je ne suis donc le
155   semblable de ces « autres » que pour rire ? — Je ne suis donc
qu'une *ombre* ? Les passions ! les sentiments ! les actes réels !
RÉELS ! voilà, — voilà ce qui constitue l'Homme proprement
dit ! Donc, puisque l'âge me force de rentrer dans l'Humanité,
je dois me procurer des passions, ou quelque sentiment réel…,
160   puisque c'est la condition *sine qua non* sans laquelle on ne sau-
rait prétendre au titre d'Homme. Voilà qui est solidement rai-
sonné ; cela crève de bon sens. — Choisissons donc d'éprouver celle qui sera le plus en rapport avec ma nature enfin
ressuscitée.

165   Il médita, puis reprit mélancoliquement :
— L'amour ?… trop tard. — La Gloire ?… je l'ai connue !
— L'Ambition ?… Laissons cette billevesée aux hommes
d'État !

Tout à coup, il poussa un cri :
170   — J'y suis ! dit-il : Le Remords !… — voilà ce qui sied à mon
tempérament dramatique.

Il se regarda dans la glace en prenant un visage convulsé,
contracté, comme par une horreur surhumaine :
— C'est cela ! conclut-il : Néron ! Macbeth ! Oreste !
175   Hamlet ! Érostrate[1] ! — Les spectres !… Oh ! oui ! Je veux voir
de *vrais* spectres, à mon tour ! — comme tous ces gens-là, qui
avaient la chance de ne pas pouvoir faire un pas sans spectres.

Il se frappa le front.
— Mais *comment* ?… Je suis innocent comme l'agneau qui
180   hésite à naître ?

Et après un temps nouveau :
— Ah ! *qu'à cela ne tienne !* reprit-il : qui veut la fin veut les
moyens !… J'ai bien le droit de devenir à tout prix ce que *je*

---

1. *Néron ! Macbeth ! Oreste ! Hamlet ! Érostrate* : personnages de théâtre ayant comme trait
commun d'avoir eu, pendant leur vie, un rapport violent avec la mort, soit comme
assassins, soit comme victimes. Tous sont devenus célèbres, comme veut le devenir Chaudval.

devrais être. J'ai droit à l'Humanité! Pour éprouver des remords, il faut avoir commis des crimes? Eh bien, va pour des
crimes : qu'est-ce que cela fait, du moment que ce sera pour…
pour le bon motif? — Oui… — Soit! (Et il se mit à faire du
dialogue :) — Je vais en perpétrer d'affreux. — Quand? —
Tout de suite. Ne remettons pas au lendemain! — Lesquels?
— Un seul!… Mais grand! — mais extravagant d'atrocité!
mais de nature à faire sortir de l'enfer toutes les Furies! —
Et lequel? — Parbleu, le plus éclatant… Bravo! J'y suis!
L'INCENDIE! Donc, je n'ai que le temps d'incendier! de bou-
cler mes malles! de revenir, dûment blotti derrière la vitre de
quelque fiacre, jouir de mon triomphe au milieu de la foule
épouvantée! de bien recueillir les malédictions des mourants,
— et de gagner le train du Nord-Ouest avec des remords sur
la planche pour le reste de mes jours. Ensuite, j'irai me ca-
cher dans mon phare! dans la lumière! en plein Océan! où
la police ne pourra, par conséquent, me découvrir jamais, —
mon crime étant *désintéressé*. Et j'y râlerai seul. — (Chaudval
ici se redressa, improvisant ce vers d'allure absolument
cornélienne :)

Garanti du soupçon par la grandeur du crime!

C'est dit. — Et maintenant — acheva le grand artiste en
ramassant un pavé après avoir regardé autour de lui pour s'as-
surer de la solitude environnante — et maintenant, toi, tu ne
reflèteras plus personne.

Et il lança le pavé contre la glace qui se brisa en mille épaves
rayonnantes.

Ce premier devoir accompli, et se sauvant à la hâte —
comme satisfait de cette première, mais énergique action
d'éclat — Chaudval se précipita vers les boulevards où,
quelques minutes après et sur ses signaux, une voiture s'arrêta, dans laquelle il sauta et disparut.

Deux heures après, les flamboiements d'un sinistre immense, jaillissant de grands magasins de pétrole, d'huiles et
d'allumettes, se répercutaient sur toutes les vitres du faubourg

du Temple. Bientôt les escouades des pompiers, roulant et
220   poussant leurs appareils, accoururent de tous côtés, et leurs
trompettes, envoyant des cris lugubres, réveillaient en sursaut
les citadins de ce quartier populeux. D'innombrables pas pré-
cipités retentissaient sur les trottoirs : la foule encombrait la
grande place du Château-d'Eau[1] et les rues voisines. Déjà les
225   chaînes s'organisaient en hâte. En moins d'un quart d'heure
un détachement de troupes formait cordon aux alentours de
l'incendie. Des policiers, aux lueurs sanglantes des torches,
maintenaient l'affluence humaine aux environs.

Les voitures, prisonnières, ne circulaient plus. Tout le
230   monde vociférait. On distinguait des cris lointains parmi le
crépitement terrible du feu. Les victimes hurlaient, saisies par
cet enfer, et les toits des maisons s'écroulaient sur elles. Une
centaine de familles, celles des ouvriers de ces ateliers qui brû-
laient, devenaient, hélas ! sans ressource et sans asile.

235   Là-bas, un solitaire fiacre, chargé de deux grosses malles,
stationnait derrière la foule arrêtée au Château-d'Eau. Et, dans
ce fiacre, se tenait Esprit Chaudval, né Lepeinteur, dit
Monanteuil ; de temps à autre il écartait le store et contem-
plait son œuvre.

240   — Oh ! se disait-il tout bas, comme je me sens en horreur
à Dieu et aux hommes ! — Oui, voilà, voilà bien le trait d'un
réprouvé !…

Le visage du bon vieux comédien rayonnait.

— Ô misérable ! grommelait-il, quelles insomnies venge-
245   resses je vais goûter au milieu des fantômes de mes victimes !
Je sens sourdre en moi l'âme des Néron[2], brûlant Rome par
exaltation d'artiste ! des Érostrate[2], brûlant le temple d'Ephèse
par amour de la gloire !… des Rostopschine, brûlant Moscou
par patriotisme ! des Alexandre, brûlant Persépolis par ga-
250   lanterie pour sa Thaïs immortelle !… Moi, je brûle par DEVOIR,

---

1. *place du Château-d'Eau* : aujourd'hui, place de la République ; voir la carte de Paris,
   p. 18-19.

2. *Néron* […] *Érostrate* : voir la note 1, p. 72.

n'ayant pas d'autre moyen d'*existence*! — J'incendie parce que je me dois à moi-même!… Je m'acquitte! Quel Homme je vais être! Comme je vais vivre! Oui, je vais savoir, enfin, ce qu'on éprouve quand on est bourrelé. — Quelles nuits, magnifiques
255 d'horreur, je vais délicieusement passer!… Ah! je respire! je renais!… j'existe!… Quand je pense que j'ai été comédien!… Maintenant, comme je ne suis, aux yeux grossiers des humains, qu'un gibier d'échafaud, — fuyons avec la rapidité de l'éclair! Allons nous enfermer dans notre phare, pour y jouir
260 en paix de nos remords.

Le surlendemain au soir, Chaudval, arrivé à destination sans encombre, prenait possession de son vieux phare désolé, situé sur nos côtes septentrionales: flamme en désuétude sur une bâtisse en ruine, et qu'une compassion ministérielle avait
265 ravivée pour lui.

À peine si le signal pouvait être d'une utilité quelconque: ce n'était qu'une superfétation, une sinécure, un logement avec un feu sur la tête et dont tout le monde pouvait se passer, sauf le seul Chaudval.

270 Donc le digne tragédien, y ayant transporté sa couche, des vivres et un grand miroir pour y étudier ses effets de physionomie, s'y enferma, sur-le-champ, à l'abri de tout soupçon humain.

Autour de lui se plaignait la mer, où le vieil abîme des cieux
275 baignait ses stellaires clartés. Il regardait les flots assaillir sa tour sous les sautes du vent, comme le Stylite[1] pouvait contempler les sables s'éperdre[2] contre sa colonne aux souffles du shimiel[3].

Au loin, il suivait, d'un regard sans pensée, la fumée des
280 bâtiments ou les voiles des pêcheurs.

---

1. *Stylite*: probablement saint Siméon dit le Stylite (390-459), qui passa près de quarante ans sur une colonne en bordure du désert, près d'Alep, en Syrie.

2. *s'éperdre*: (verbe désuet, sauf au participe passé: «éperdu») se perdre complètement.

3. *shimiel*: probablement *Shamal* («nord» en arabe), un fort vent chaud du nord-ouest, chargé de poussière, soufflant notamment en Syrie.

À chaque instant, ce rêveur oubliait son incendie. — Il montait et descendait l'escalier de pierre.

Le soir du troisième jour, Lepeinteur, disons-nous, assis dans sa chambre, à soixante pieds au-dessus des flots, reli-
285 sait un journal de Paris où l'histoire du grand sinistre, arrivé l'avant-veille, était retracée.

— Un malfaiteur inconnu avait jeté quelques allumettes dans les caves de pétrole. Un monstrueux incendie qui avait tenu sur pied, toute la nuit, les pompiers et le peuple des quar-
290 tiers environnants, s'était déclaré au faubourg du Temple[1].

Près de cent victimes avaient péri : de malheureuses familles étaient plongées dans la plus noire misère.

La place tout entière était en deuil, et encore fumante.

On ignorait le nom du misérable qui avait commis ce for-
295 fait et, surtout, le mobile du criminel.

À cette lecture, Chaudval sauta de joie et, se frottant fié-vreusement les mains, s'écria :

— Quel succès ! Quel merveilleux scélérat je suis ! Vais-je être assez hanté ? Que de spectres je vais voir ! Je savais bien
300 que je deviendrais un Homme ! — Ah ! le moyen a été dur, j'en conviens ! mais il le fallait !… il le fallait !

En relisant la feuille parisienne, comme il y était mentionné qu'une représentation extraordinaire serait donnée au béné-fice des incendiés, Chaudval murmura :
305 — Tiens ! j'aurais dû prêter le concours de mon talent au bénéfice de mes victimes ! — C'eût été ma soirée d'adieux. — J'eusse déclamé Oreste[2]. J'eusse été bien nature…[3]

Là-dessus, Chaudval commença de vivre dans son phare. Et les soirs tombèrent, se succédèrent, et les nuits.

---

1. *faubourg du Temple* : rue située au sud de la gare de l'Est et commençant à la place de la République ; voir la carte de Paris, p. 18-19.

2. *Oreste* : voir la note 1, p. 72.

3. *J'eusse été bien nature…* : (FAM) J'aurais joué de façon très naturelle et criante de vé-rité (*Le Petit Robert 1*, III, 1).

310   Une chose qui stupéfiait l'artiste se passait. Une chose atroce !

     Contrairement à ses espoirs et prévisions, sa conscience ne lui criait aucun remords. Nul spectre ne se montrait ! — Il n'éprouvait *rien, mais absolument rien !…*

315   Il n'en pouvait croire le Silence. Il n'en revenait pas.

     Parfois, en se regardant au miroir, il s'apercevait que sa tête débonnaire n'avait point changé ! — Furieux, alors, il sautait sur les signaux, qu'il faussait, dans la radieuse espérance de faire sombrer au loin quelque bâtiment, afin d'aider, d'acti-
320 ver, de stimuler le remords rebelle ! — d'exciter les spectres !

     Peines perdues !

     Attentats stériles ! Vains efforts ! Il n'éprouvait *rien*. Il ne voyait aucun menaçant fantôme. Il ne dormait plus, tant le désespoir et la *honte* l'étouffaient. — Si bien qu'une nuit, la
325 congestion cérébrale l'ayant saisi en sa solitude lumineuse, il eut une agonie où il criait, — au bruit de l'océan et pendant que les grands vents du large souffletaient sa tour perdue dans l'infini :

     — Des spectres !… Pour l'amour de Dieu !… Que je voie,
330 ne fût-ce qu'un spectre ! — *Je l'ai bien gagné !*

     Mais le Dieu qu'il invoquait ne lui accorda point cette faveur, — et le vieux histrion expira, déclamant toujours, en sa vaine emphase, son grand souhait de voir des spectres…
— *sans comprendre qu'il était, lui-même, ce qu'il cherchait.*

Paru pour la première fois dans *L'Étoile de France*
et *L'Impartial*, les 3 et 4 juillet 1882.
Paru dans *Contes cruels* en 1883.

Marcel Schwob (1867-1905)

Marcel Schwob naît à Chaville en 1867 et meurt à Paris en 1905. Il est fasciné par la littérature universelle et la langue française. Sa renommée vient, entre autres, de ses traductions de *Hamlet* de William Shakespeare (1564-1616), et de *Moll Flanders* de Daniel Defoe (1660-1731). Schwob a aussi des affinités particulières avec l'œuvre de Robert Louis Stevenson (1850-1894). Auteur prolifique, Schwob meurt avant l'âge de quarante ans, laissant derrière lui une œuvre littéraire qui témoigne d'une vie riche en lectures de toutes sortes.

Ses nouvelles fantastiques, dont les deux que nous présentons ici et qui sont tirées du recueil *Cœur double* (1891), rappellent les textes d'Edgar Allan Poe (1809-1849) par leur description sans concession de la brutalité et de l'étrangeté du comportement humain. Outre ses nouvelles, Schwob est bien connu pour ses essais critiques révélant ses goûts littéraires (*Spicilèges*, 1896), sa série de biographies concises et fantaisistes (*Vies imaginaires*, 1896) et quelques recueils de contes qui empruntent beaucoup aux légendes et aux mythes antiques (*Le Roi au masque d'or*, 1892) ainsi qu'aux contes de fées (*Le Livre de Monelle*, 1894). L'univers de ses récits est rempli de lieux ordinaires qu'un bruit ou un geste inhabituel métamorphose, où un incident en apparence banal se ramifie de manière inéluctable en événements sordides, où la perception même du narrateur se détraque devant nous. Cet auteur nous place devant des expériences tout à fait hors de l'ordinaire.

Il se révèle un prosateur d'une minutie extrême. C'est le cas dans «L'Homme voilé», dans lequel un passager voyeur est sans doute moins passif qu'il veut nous le laisser croire ou dans «Les Portes de l'opium», dans lequel le narrateur ne sort pas indemne d'un geste aussi banal que celui de traverser une porte...

L'Homme voilé[1]

Du concours de circonstances qui me perd, je ne puis rien dire ; certains accidents de la vie humaine sont aussi artistement combinés par le hasard ou les lois de la nature que l'invention la plus démoniaque : on se récrierait, comme devant
5   le tableau d'un impressionniste qui a saisi une vérité singulière et momentanée. Mais si ma tête tombe, je veux que ce récit me survive et qu'il soit dans l'histoire des existences une étrangeté vraie, comme une ouverture blafarde sur l'inconnu.

Quand j'entrai dans ce terrible wagon, il était occupé par
10   deux personnes. L'une, tournée, enveloppée de couvertures, dormait profondément. La couverture supérieure était mouchetée de taches, à fond jaune, comme une peau de léopard. On en vend beaucoup de semblables aux rayons d'articles de voyage : mais je puis dire tout de suite qu'en la touchant plus
15   tard je vis que c'était vraiment la peau d'un animal sauvage ; de même le bonnet de la personne endormie, lorsque je le détaillai avec la puissance de vision suraiguë que j'obtins, me parut être d'un feutre blanc infiniment délicat. L'autre voyageur, d'une figure sympathique, paraissait avoir juste franchi
20   la trentaine ; il avait d'ailleurs la tournure insignifiante d'un homme qui passe confortablement ses nuits en chemin de fer.

Le dormeur ne montra pas son billet, ne tourna pas la tête, ne remua pas pendant que je m'installais en face de lui. Et lorsque je me fus assis sur la banquette, je cessai d'observer
25   mes compagnons de voyage pour réfléchir à diverses affaires qui me préoccupaient.

---

1. Nous avons retenu, pour l'essentiel, le texte de Marcel Schwob, *Œuvres*, édition présentée et établie par Sylvain Goudemare, Paris, Phébus *libretto*, 2002, 992 pages (p. 99-103), ainsi que le recueil de Marcel Schwob, *Cœur double*, coll. Imaginaire, Paris, Gallimard, 1934, 253 pages (p. 85-90).

Le mouvement du train n'interrompit pas mes pensées ; mais il dirigeait leur courant d'une curieuse façon. Le chant de l'essieu et des roues, la prise des rails, le passage sur les
30 jonctions des rails, avec le soubresaut qui secoue périodiquement les voitures mal suspendues se traduisait par un refrain mental. C'était une sorte de pensée vague qui coupait à intervalles réguliers mes autres idées. Au bout d'un quart d'heure, la répétition touchait à l'obsession. Je m'en débar-
35 rassai par un violent effort de volonté ; mais le vague refrain mental prit la forme d'une notation musicale que je prévoyais. Chaque heurt n'était pas une note, mais l'écho à l'unisson d'une note conçue d'avance, à la fois crainte et désirée ; si bien que ces heurts éternellement semblables parcouraient l'échelle
40 sonore la plus étendue, correspondant, en vérité, avec ses octaves superposées que le gosier d'aucun instrument[1] n'eût pu atteindre, aux étages de suppositions qu'entasse souvent la pensée en travail.

Je finis par prendre un journal pour essayer de rompre le
45 charme. Mais les lignes entières se détachaient des colonnes, lorsque je les avais lues, et venaient se replacer sous mon regard avec une sorte de son plaintif et uniforme, à des intervalles que je prévoyais et ne pouvais modifier. Je m'adossai alors à la banquette, éprouvant un singulier
50 sentiment d'angoisse et de vide dans la tête.

C'est alors que j'observai le premier phénomène qui me plongea dans l'étrange. Le voyageur de l'extrémité du wagon, ayant relevé sa banquette et assujetti son oreiller, s'étendit et ferma les yeux. Presque au même moment le dormeur qui me
55 faisait face se leva sans bruit et tendit sur le globe de la lampe le petit rideau bleu à ressort. Dans ce mouvement, j'aurais dû voir sa figure, — *et je ne la vis pas*. J'aperçus une tache confuse,

---

1. *le gosier d'aucun instrument* : le son, la voix d'aucun instrument (voir « voix » dans *Le Petit Robert 1*, sens I, C : littér.).

de la couleur d'un visage humain, mais dont je ne pus distinguer le moindre trait. L'action avait été faite avec une
60 rapidité silencieuse qui me stupéfia. Je n'avais pas eu le temps
de voir le dormeur debout que déjà je n'apercevais plus que
le fond blanc de son bonnet au-dessus de la couverture tigrée.
La chose était insignifiante, mais elle me troubla. Comment
le dormeur avait-il pu comprendre si vite que l'autre avait
65 fermé les yeux ? Il avait tourné sa figure vers moi, et je ne l'avais
pas vue ; la rapidité et le mystère de son geste étaient
inexprimables.

Une ombre bleue flottait maintenant entre les banquettes
capitonnées, à peine interrompue de temps à autre par le voile
70 de lumière jaune jeté du dehors par un fanal à l'huile.

Le cercle de pensées qui me hantait revint à mesure que
le battement du train croissait dans le silence. L'inquiétude
du geste l'avait fixé, et des histoires d'assassins en chemin de
fer surgissaient de l'obscurité, lentement modifiées à la
75 façon de mélopées. La peur cruelle m'étreignait le cœur ; plus
cruelle, parce qu'elle était plus vague, et que l'incertitude aug-
mente la terreur. Visible, palpable, je sentais se dresser l'image
de Jud[1] — une face maigre avec des yeux caves, des pommettes saillantes et une barbiche sale — la figure de l'assas-
80 sin Jud, qui tuait, la nuit, dans des wagons de premières et
qu'on n'a jamais repris après son évasion. L'ombre m'aidait
à transporter cette figure sur la forme du dormeur, à peindre
des traits de Jud la tache confuse que j'avais vue à la lampe,
à m'imaginer sous la couverture tigrée un homme tapi, prêt
85 à bondir.

J'eus alors la tentation violente de me jeter à l'autre bout du
wagon, de secouer le voyageur endormi, de lui crier mon péril.
Un sentiment de honte me retenait. Pouvais-je expliquer mon

---

1. *Jud* : prénom d'origine hébraïque qui a donné Jody, Judie et Yehudi, mais surtout Judas,
dit l'Iscariote, l'un des douze apôtres de l'Évangile ; il trahit Jésus pour 30 deniers,
et, rempli de remords, se suicida peu de temps après.

inquiétude ? Comment répondre au regard étonné de cet
90   homme bien élevé ? Il dormait confortablement, la tête sur
l'oreiller, soigneusement enroulé, ses mains gantées, croisées
sur sa poitrine : de quel droit irais-je le réveiller parce qu'un
autre voyageur avait tiré le rideau de la lampe ? N'y avait-il
pas déjà quelque symptôme de folie dans mon esprit, qui
95   s'obstinait à rattacher le geste de l'homme à la connaissance
qu'il aurait eue du sommeil de l'autre ? N'étaient-ce pas deux
événements différents appartenant à des séries diverses, qu'une
simple coïncidence rapprochait ? Mais ma crainte s'y butait
et s'y obstinait ; si bien que, dans le silence rythmé du train,
100 je sentais battre mes tempes ; une ébullition de mon sang, qui
contrastait douloureusement avec le calme extérieur, faisait
tournoyer les objets autour de moi, et des événements futurs
et vagues, mais avec la précision devinée de choses qui sont
sur le point d'arriver, traversaient mon cerveau dans une pro-
105 cession sans fin.

     Et tout à coup un calme profond s'établit en moi. Je sen-
tis la tension de mes muscles se relâcher dans un abandon entier. Le tourbillonnement de la pensée s'arrêta. J'éprouvai la
chute intérieure qui précède le sommeil et l'évanouissement,
110 et je m'évanouis véritablement les yeux ouverts. Oui, les yeux
ouverts et doués d'une puissance infinie dont ils se servaient
sans peine. Et la détente était si complète que j'étais à la fois
incapable de gouverner mes sens ou de prendre une décision,
de me représenter même une idée d'agir qui eût été à moi.
115 Ces yeux surhumains se dirigèrent d'eux-mêmes sur l'homme
à la figure mystérieuse, et, bien que perçant les obstacles, ils
les percevaient. Ainsi je sus que je regardais à travers une dé-
pouille de léopard et à travers un masque de soie couleur de
peau humaine, crépon couvrant une face basanée. Et mes yeux
120 rencontrèrent immédiatement d'autres yeux d'un éclat noir
insoutenable : je vis un homme vêtu d'étoffes jaunes, à boutons qui semblaient d'argent, enveloppé d'un manteau brun :
je le savais couvert de la peau de léopard, mais je le voyais.

J'entendais aussi (car mon ouïe venait d'acquérir une acuité
125 extrême) sa respiration pressée et haletante, semblable à celle
de quelqu'un qui ferait un effort considérable. Mais l'homme
ne remuant ni bras ni jambes, ce devait être un effort intérieur ;
c'en était un, à coup sûr - car sa volonté annihilait la mienne.

Une dernière résistance se manifesta en moi. Je sentis une
130 lutte à laquelle je ne prenais réellement pas part ; une lutte
soutenue par cet égoïsme profond qu'on ne connaît jamais et
qui gouverne l'être. Puis des idées vinrent flotter devant mon
esprit — idées qui ne m'appartenaient pas, que je n'avais pas
créées, auxquelles je ne reconnaissais rien de commun à ma
135 substance, perfides et attirantes comme l'eau noire vers laquelle
on se penche.

L'une d'elles était l'assassinat. Mais je ne le concevais plus
comme une œuvre pleine de terreur, accomplie par Jud,
comme l'issue d'une épouvante sans nom. Je l'éprouvais pos-
140 sible, avec quelque lueur de curiosité et un anéantissement
infini de tout ce qui avait jamais été ma volonté.

Alors l'homme voilé se leva, et, me regardant fixement sous
son voile couleur de chair humaine, il se dirigea à pas glissants vers le voyageur endormi. D'une main il lui saisit la
145 nuque, fermement, et lui fourra en même temps dans la
bouche un tampon de soie. Je n'eus pas d'angoisse ; ni le désir
d'un cri. Mais j'étais auprès et je regardais d'un œil morne.
L'homme voilé tira un couteau du Turkestan mince, effilé, dont
la lame évidée avait une rigole centrale, et coupa la gorge au
150 voyageur comme on saigne un mouton. Le sang gicla jusqu'au
filet. Il avait enfoncé son couteau du côté gauche, en le ra-
menant vers lui d'un coup sec. La gorge était béante : il découvrit la lampe, et je vis le trou rouge. Puis il vida les poches
et plongea ses mains dans la mare sanglante. Il vint vers moi,
155 et je supportai sans révolte qu'il barbouillât mes doigts inertes
et ma figure, où pas un pli ne bougeait.

L'homme voilé roula sa couverture, jeta autour de lui son
manteau, tandis que je restais près du voyageur *assassiné*. Ce

mot terrible ne m'impressionnait pas — lorsque soudain je
160   me sentis manquer d'appui, sans volonté pour suppléer la
mienne, vide d'idées, dans le brouillard. Et me réveillant par
degrés, les yeux collés, la bouche glaireuse, avec ma nuque
serrée d'une main de plomb, je me vis seul, au petit jour gris,
avec un cadavre ballottant. Le train filait dans une campagne
165   rase, à bouquets d'arbres clairsemés, d'une monotonie intense,
— et lorsqu'il s'arrêta après un long sifflement dont l'écho traversait l'air frais du matin, j'apparus stupidement à la portière,
avec ma figure barrée de caillots de sang.

Paru pour la première fois
dans le recueil *Cœur double* en 1891.

Les Portes de l'opium[1]

O just, subtle and mighty opium!…
(Thomas De Quincey[2])

Je fus toujours l'ennemi d'une vie réglée comme celle de
tous les autres. La monotonie persistante des actions répétées
et habituelles m'exaspérait. Mon père m'ayant laissé la disposition d'une énorme fortune, je n'eus point le désir de vivre
5 en élégant. Les hôtels somptueux ni les attelages de luxe ne
m'attiraient ; non plus les chasses forcenées ou la vie indolente
des villes d'eaux ; le jeu ne présentait que deux alternatives
à mon esprit agité : c'était trop peu. Nous étions arrivés dans
un temps extraordinaire où les romanciers nous avaient mon-
10 tré toutes les faces de la vie humaine et tous les dessous des
pensées. On était lassé de bien des sentiments avant de les
avoir éprouvés ; plusieurs se laissaient attirer vers un gouffre
d'ombres mystiques et inconnues ; d'autres étaient possédés
par la passion de l'étrange, par la recherche quintessenciée de
15 sensations nouvelles ; d'autres enfin se fondaient dans une large
pitié qui s'étendait sur toutes choses.

Ces poursuites avaient créé en moi une curiosité extravagante de la vie humaine. J'éprouvais le désir douloureux de
m'aliéner à moi-même, d'être souvent soldat, pauvre, ou mar-
20 chand, ou la femme que je voyais passer, secouant ses jupes,
ou la jeune fille tendrement voilée qui entrait chez un pâtis-
sier : elle relevait son voile à demi, mordait dans un gâteau,

---

1. Nous avons retenu, pour l'essentiel, le texte de Marcel Schwob, *Œuvres*, édition présentée et établie par Sylvain Goudemare, Paris, Phébus *libretto*, 2002, 992 pages
(p. 113-117), ainsi que le recueil de Marcel Schwob, *Cœur double*, coll. Imaginaire,
Paris, Gallimard, 1934, 253 pages (p. 102-108).

2. *Thomas De Quincey* : écrivain anglais (1785-1859), auteur des *Confessions d'un opio-
mane anglais* (1822) qui « évoquent la genèse des sensations de l'opiomane » (*Le Petit
Robert 2*) ; il fut une source d'inspiration pour de nombreux auteurs français dont
Baudelaire et Schwob.

Cléopâtre (1887), Gustave Moreau (1826-1898). Aquarelle.

© The Art Archive/Musée du Louvre Paris/Dagli Orti.

puis, versant de l'eau dans un verre, elle restait, la tête penchée.

25   Ainsi il est facile de comprendre pourquoi je fus hanté par la curiosité d'une porte. Il y avait dans un quartier éloigné un haut mur gris, percé d'yeux[1] grillés à de grandes hauteurs, avec de fausses fenêtres pâlement[2] dessinées par places. Et au bas de ce mur, dans une position singulièrement inégale, sans
30   qu'on pût savoir ni pourquoi, ni comment, loin des trous grillés, on voyait une porte basse, en ogive, fermée d'une serrure à longs serpents de fer et croisée de traverses vertes. La serrure était rouillée, les gonds étaient rouillés ; dans la vieille rue abandonnée, les orties et les ravenelles avaient jailli par
35   bouquets sous le seuil, et des écailles blanchâtres se soulevaient sur la porte comme sur la peau d'un lépreux.

Derrière, y avait-il des êtres vivants ? Et quelle insolite existence devaient-ils mener, s'ils passaient les journées à l'ombre de ce grand mur gris, cloîtrés du monde par la petite porte
40   basse qu'on ne voyait jamais ouverte ! D'heure en heure mes promenades inactives me ramenaient dans cette rue silencieuse, et j'interrogeais la porte comme un problème.

Un soir que j'errais dans la foule, cherchant de curieuses figures, je remarquai un vieux petit homme qui tressautait en
45   marchant. Il avait un foulard rouge pendant de sa poche, et il frappait le pavé d'une canne tordue, en ricanant. Sous le gaz[3], sa figure semblait barrée d'ombre, et les yeux y étincelaient de lueurs si verdâtres que je fus invinciblement ramené *à l'idée de la porte* : dans l'instant je devins sûr qu'il y avait entre lui
50   et elle quelque relation.

---

1. *percé d'yeux* : troué d'ouvertures rondes.

2. *pâlement* : de manière pâle ; forme adverbiale rare de « pâle » (1540, *Dictionnaire historique de la langue française*).

3. *gaz* : « se dit spécialement d'un gaz utilisé pour l'éclairage, le chauffage, etc. (1826), d'où *bec de gaz* [...] » (*Dictionnaire historique de la langue française*). Ici, il s'agit d'un réverbère (sens 4 au *Petit Robert 1*).

Je suivis cet homme. Je ne puis pas dire qu'il ait rien fait
pour cela. Mais il m'était impossible d'agir autrement, et quand
il parut au bout de la rue abandonnée où était la porte, je fus
illuminé de ce pressentiment soudain qui vous fait saisir,
55 comme dans un éclair du temps, qu'on sait ce qui va se passer. Il frappa deux ou trois coups ; la porte roula sur ses gonds
rouillés sans grincer. Je n'hésitai pas, et je m'élançai ; mais je
trébuchai sur les jambes d'un mendiant que je n'avais pas vu,
et qui s'était assis le long du mur. Il avait sur les genoux une
60 écuelle de terre et une cuillère d'étain à la main ; levant son
bâton, il me maudit d'une voix rauque, lorsque la porte se referma silencieusement sur moi.

J'étais dans un immense jardin sombre, où les herbes folles
et les plantes sauvages poussaient à hauteur de genoux. La
65 terre était détrempée, comme par des pluies continuelles ; elle
paraissait de glaise, tant elle s'attachait aux pas. Tâtonnant dans
l'obscurité vers le bruit mat du vieux qui avançait, je vis bientôt poindre une éclaircie ; il y avait des arbres où pendaient
des lanternes de papier faiblement éclairées, donnant une lu-
70 mière roussâtre, diffuse ; et le silence était moins profond, car
le vent semblait respirer lentement dans les branches.

En approchant, je vis que ces lanternes étaient peintes de
fleurs orientales et qu'elles dessinaient en l'air les mots :

MAISON D'OPIUM

75 Devant moi se dressait une maison blanche, carrée avec des
ouvertures étroites et longues d'où sortaient une lente musique
grinçante de cordes, coupée de battements, et une mélopée
de voix rêveuses. Le vieux se tenait sur le seuil, et, agitant gra-
cieusement son foulard rouge, il m'invitait du geste à entrer.

80 J'aperçus dans le couloir une mince créature jaune, vêtue
d'une robe flottante ; vieille aussi, avec la tête branlante et la
bouche édentée – elle me fit entrer dans une pièce oblongue,
tendue de soie blanche. Sur les tentures des raies noires s'élevaient verticalement, croissant jusqu'au plafond. Puis il y eut

85 devant moi un jeu de tables de laque, rentrant les unes dans
les autres, avec une lampe de cuivre rouge où une fine flamme
filait, un pot de porcelaine plein d'une pâte grisâtre, des
épingles, trois ou quatre pipes à tige de bambou, à fourneau
d'argent. La vieille femme jaune roula une boulette, la fit fondre
90 à la flamme autour d'une épingle, et, la plantant avec pré-
caution dans le fourneau de la pipe, elle y tassa plusieurs ron-
delles. Alors, sans réflexion, j'allumai, et je tirai deux bouffées d'une fumée âcre et vénéneuse qui me rendit fou.

Car je vis passer devant mes yeux aussitôt, bien qu'il n'y
95 eût eu aucune transition, l'image de la porte et les figures bizarres du vieux homme[1] au foulard rouge, du mendiant à
l'écuelle et de la vieille à la robe jaune. Les raies noires se mirent à grandir en sens inverse vers le plafond, et à diminuer
vers le plancher, dans une sorte de gamme chromatique de
100 dimensions qu'il me semblait entendre résonner dans mes
oreilles. Je perçus le bruit de la mer et des vagues qui se bri-
sent, chassant l'air des grottes rocheuses par des coups sourds.
La chambre changea de direction sans que j'eusse l'impression d'un mouvement; il me parut que mes pieds avaient pris
105 la place de ma tête et que j'étais couché sur le plafond. Enfin
il y eut en moi un anéantissement complet de mon activité;
je désirai rester ainsi éternellement et continuer à éprouver[2].

C'est alors qu'un panneau glissa dans la chambre, par où
entra une jeune femme comme je n'en avais jamais vu. Elle
110 avait la figure frottée de safran et les yeux attirés vers les
tempes[3]; ses cils étaient gommés d'or et les conques de ses
oreilles délicatement relevées d'une ligne rose. Ses dents, d'un

---

1. *vieux homme*: le *Dictionnaire de l'Académie française* (4ᵉ édition, 1762) précise que
si le nom suivant l'adjectif *vieux* «commence par une voyelle [ou un «h» muet, comme
ici], on dit plus ordinairement *vieil*». Schwob a préféré une forme moins usitée.

2. *éprouver*: ressentir. Emploi rare en construction absolue, sans complément.

3. *yeux attirés vers les tempes*: possiblement, yeux en amande; «attirés» est ici près de
son sens étymologique «tirés», «entraînés». L'expression est peut-être aussi purement métaphorique.

noir d'ébène, étaient constellées de petits diamants fulgurants
et ses lèvres étaient complètement bleues. Ainsi parée, avec
115 sa peau épicée et peinte, elle avait l'aspect et l'odeur des sta-
tues d'ivoire de Chine, curieusement ajourées et rehaussées
de couleurs bariolées. Elle était nue jusqu'à la ceinture ; ses
seins pendaient comme deux poires et une étoffe brune guillo-
chée d'or flottait sur ses pieds.

120   Le désir d'étrangeté qui me tenait devint alors si violent que
je me précipitai vers cette femme peinte en l'implorant : chacune des couleurs de son costume et de sa peau semblait à
l'hyperesthésie de mes sens un son délicieux dans l'harmonie qui m'enveloppait ; chacun de ses gestes et les poses de
125 ses mains étaient comme des parties rythmées d'une danse
infiniment variée dont mon intuition saisissait l'ensemble.

Et je lui disais, en la suppliant : « Fille de Lebanon[1], si tu
es venue à moi des profondeurs mystérieuses de l'Opium,
reste, reste… mon cœur te veut. Jusqu'à la fin de mes jours
130 je me nourrirai de l'impréciable drogue[2] qui te fait paraître à
mes yeux. L'opium est plus puissant que l'ambroisie, puisqu'il
donne l'immortalité du rêve, non plus la misérable éternité
de la vie ; plus subtil que le nectar, puisqu'il crée des êtres si
étrangement brillants ; plus juste que tous les dieux, puisqu'il
135 réunit ceux qui sont faits pour s'aimer !

Mais si tu es femme née de chair humaine, tu es mienne
— pour toujours — car je veux donner tout ce qui est à moi
pour te posséder… »

Elle fixa sur moi ses yeux miroitants entre les cils d'or,
140 s'approcha lentement et s'assit dans une pose douce qui
faisait battre mon cœur. « Est-il vrai ? murmura-t-elle.

---

1. *Lebanon* : prononciation hébraïque du mot « Liban » dans l'Ancien Testament. L'anglais
   a retenu cette graphie. (*Dictionnaire des noms de lieux*)

2. *impréciable drogue* : drogue qui n'a pas de prix. « Impréciable » est un archaïsme.
   Schwob emprunte cette expression à Rabelais (vers 1485-1553), qui l'utilise dans
   son prologue à *Gargantua*, publié en 1534.

Donnerais-tu ta fortune pour m'avoir ? » Elle secoua la tête avec incrédulité.

Je vous dis que la folie me tenait. Je saisis mon carnet de chèques — je le signai en blanc et je le lançai dans la chambre — il rebondit sur le parquet. « Hélas ! dit-elle, aurais-tu le courage d'être mendiant pour être à moi ? Il me semble que je t'aimerais mieux ; dis, veux-tu ? » Elle me déshabillait légèrement. Alors la vieille femme jaune amena le mendiant qui était devant la porte ; il entra en hurlant et il eut mes vêtements d'apparat avec lesquels il s'enfuit ; moi j'eus son manteau rapiécé, son feutre troué, son écuelle, sa cuillère et sa sébile.

Et quand je fus ainsi accoutré : « Va », dit-elle, et elle frappa dans ses mains.

Les lampes s'éteignirent, les panneaux tombèrent. La fille de l'Opium s'évanouit. À la clarté confuse des murs je vis le vieux homme[1] au foulard rouge, la vieille à la robe jaune, le hideux mendiant vêtu de mes habits qui se jetèrent sur moi et me poussèrent vers un couloir obscur. Je passai, je fus porté à travers des tunnels gluants, entre des murailles visqueuses. Un temps inappréciable s'écoula. Je perdis la notion des heures, me sentant toujours entraîné.

Tout à coup la lumière blanche me saisit tout entier ; mes yeux tremblèrent dans leurs orbites ; mes paupières clignèrent au soleil.

Je me trouvai assis devant une petite porte basse, en ogive, fermée d'une serrure à longs serpents de fer et croisée de traverses vertes : une porte rigoureusement semblable à la porte mystérieuse, mais percée dans un immense mur blanchi à la chaux. La rase campagne s'étendait devant moi ; l'herbe était brûlée, le ciel d'un bleu opaque. Tout m'était inconnu, jusqu'aux tas de crottins qui gisaient près de moi.

---

1. *vieux homme* : voir la note 1, p. 89.

Et j'étais là, perdu, pauvre comme Job, nu comme Job[1], derrière la seconde porte ; je la secouai, je l'ébranlai — elle est
175   fermée à jamais. Ma cuillère d'étain claque contre ma sébile.
Oh ! oui, l'opium est plus puissant que l'ambroisie, donnant
l'éternité d'une vie misérable — plus subtil que le nectar, mordant le cœur de peines si cruelles — plus juste que les dieux,
punissant les curieux qui ont voulu violer les secrets de l'au-
180   delà ! Ô très juste, subtil et puissant opium[2] ! Hélas, hélas, ma
fortune est détruite — oh ! oh ! mon argent est perdu !

Paru pour la première fois
dans le recueil *Cœur double* en 1891.

---

1. *pauvre comme Job, nu comme Job* : Job est un personnage biblique que Dieu voulut
   éprouver dans sa foi en lui enlevant famille et biens. Il « incarne l'homme juste frappé
   par le malheur, questionnant Dieu sur le problème du mal » (*Le Petit Robert 2*).

2. *Ô très juste, subtil et puissant opium* : c'est la traduction de l'épigraphe initiale de Thomas
   De Quincey.

Récits d'inspiration
réaliste ou naturaliste

Charles Asselineau (1820-1874)

Charles Asselineau naît à Paris en 1820 et meurt à Chatelguyon en 1874. Il connaît bien Charles Baudelaire (1821-1867), se lie d'amitié avec Félix Tournachon dit Nadar (1820-1910), photographe très célèbre pour ses portraits d'écrivains et d'autres personnalités. S'intéressant beaucoup à l'établissement des textes des auteurs qu'il fréquente, Asselineau participe, en collaboration avec le poète Théodore de Banville (1823-1891), à la troisième édition des *Fleurs du mal* de Baudelaire.

On le connaît d'ailleurs surtout comme premier biographe de Charles Baudelaire (*Charles Baudelaire. Sa vie et son œuvre*, 1869). Ses textes de fiction sont toutefois méconnus aujourd'hui : l'ironie veut qu'il ait été un ardent diffuseur de textes d'auteurs mésestimés de son époque ! Il fait pourtant partie du cercle littéraire parisien de la fin du XIXe siècle : écrivain et bibliophile, il est aussi nouvelliste, essayiste, biographe et auteur de faits divers. Parmi ses œuvres, nous retrouvons, entre autres, *L'Enfer du bibliophile* (1860) et *André Boulle, ébéniste de Louis XIV* (1872).

Son recueil de nouvelles et de chroniques *La Double Vie* (1858) contient des récits qui font parfois penser à l'aisance narrative des courtes nouvelles de Guy de Maupassant (1850-1893), au fantastique espiègle de celles du russe Nicolas Gogol (1809-1852) ou au misérabilisme réaliste des textes du norvégien Knut Hamsun (1859-1952). Dans « La Jambe », Asselineau explore la frontière ténue entre le rêve et la réalité. Si l'auteur amorce son récit en racontant une rencontre romantique avec une belle dame, il décrit plutôt en filigrane l'obsession presque perverse du narrateur pour le corps féminin fractionné.

La Jambe[1]

> « La jeune fille, LA VIERGE est la Nouvelle Église ;
> la femme âgée, la Vieille Église ;
> les jardins (le Paradis) signifient l'Intelligence ;
> les pieds sont la Recherche. »
>
> *Colloquia Swedenborgiana*[2]

Elle marchait devant moi, simplement, mais avec une grâce assez noble.

Je m'écriai :

— Oh ! la jolie jambe !

***

5   Ce qu'il y a de surprenant dans la vie du rêve, ce n'est pas tant de se trouver transporté dans des régions fantastiques, où sont confondus tous les usages, contredites toutes les idées reçues ; où souvent même (ce qui est plus effrayant encore) l'impossible se mêle au réel. Ce qui me frappe encore bien
10 davantage, c'est l'assentiment donné à ces contradictions, la facilité avec laquelle les plus monstrueux paralogismes sont acceptés comme choses toutes naturelles, de façon à faire croire à des facultés, ou à des notions d'un ordre particulier, et étrangères à notre monde.

---

1. Nous avons retenu, pour l'essentiel, le texte de l'édition originale de Charles Asselineau, *La Double Vie*, Paris, Poulet-Malassis et De Broise, 1858, 295 pages (p. 171-178).

2. Colloquia Swedenborgiana : les entretiens de Swedenborg. Emanuel Swedenborg (1688-1772), mathématicien, astronome, naturaliste, philosophe et théosophe suédois aurait eu, après 1743, des entretiens avec les esprits, et le Christ lui serait apparu. Son imagination féconde et sa sensibilité extrême lui firent vivre des moments d'extase qui l'amenèrent à croire à l'Esprit créateur, unificateur de l'anatomie, de la matière et de la nature. Il eut une grande influence en France, particulièrement sur Baudelaire qui lui emprunta le terme de *Correspondances*.

15   Je rêve un jour que j'assiste dans la grande allée des Tuileries[1],
au milieu d'une foule compacte, à l'exécution d'un général.
Un silence respectueux et solennel règne dans l'assistance.

Le général est apporté dans une malle[2]. Il en sort bientôt,
en grand uniforme, tête nue, et psalmodiant à voix basse un
20   chant funèbre.

Tout à coup un cheval de guerre sellé et caparaçonné est
aperçu caracolant sur la terrasse à droite, du côté de la place
Louis XV[1].

Un gendarme s'approche du condamné et lui remet res-
25   pectueusement un fusil tout armé : le général ajuste, tire et le
cheval tombe.

Et la foule s'écoule, et moi-même je me retire, intérieurement bien convaincu que *c'était l'usage, lorsqu'un général était
condamné à mort, que si son cheval venait à paraître sur le lieu
30   de l'exécution et qu'il le tuât[3], le général était sauvé.*

Autre chose frappante est encore la facilité avec laquelle on
reconnaît certains lieux, certains endroits, certains pays
même, que l'on n'a pas mémoire d'avoir jamais vus ailleurs
qu'en rêve, et qu'on se rappelle pourtant au réveil assez dis-
35   tinctement pour en concevoir tous les détails, rues, maisons,
boutiques, enseignes, accidents de terrain, paysages, etc.

Qui ne se rappelle aussi certains personnages entrevus et
retrouvés à de longs intervalles comme de vieilles connais-
sances ? certaines aventures interrompues par le réveil et dont
40   un rêve postérieur vous fait connaître l'issue ?

---

1. *Tuileries* et *place Louis XV* : les jardins des Tuileries et la place Louis-XV sont situés
    entre l'avenue des Champs-Élysées et le Louvre. Lieu d'exécution de Louis XVI et
    de Marie-Antoinette, la place Louis-XV est devenue la place de la Révolution, puis
    finalement la place de la Concorde ; voir la carte de Paris, p. 18-19.

2. *malle* : voiture utilisée par l'administration des postes pour envoyer les lettres aux
    bureaux de destination et dans laquelle on transportait des voyageurs (*Dictionnaire
    de l'Académie française*, 8ᵉ édition, 1932-5.

3. venait [...] tuât : dans une phrase construite avec *si... que*, quand le *que* remplace
    un second *si*, le verbe introduit par *si* se met à l'indicatif (*venait*), et celui amené par
    que se met au subjonctif (*tuât*).

Ces phénomènes et bien d'autres auxquels je suis très attentif m'ont fait souvent supposer, non pas des existences antérieures, mais des existences parallèles à la nôtre, ayant pour théâtre des régions extérieures où notre âme émigrerait
45 pendant les heures de sommeil.

Une vision, est-ce autre chose qu'un ravissement complet de notre être spirituel dans une sphère étrangère au présent ? ravissement dans le passé par le souvenir, ravissement dans l'avenir par l'espérance ou le désir, ravissement dans le vague,
50 etc.

Notre corps cependant demeure, et la personne qui nous écoutait tout à l'heure et que nous n'entendons plus, pense simplement ou que nous manquons pour le moment d'esprit, ou qu'elle nous ennuie.

55 J'ai ouï parler d'un jeune écolier de Strasbourg qui pendant le sommeil prononçait fort distinctement des mots inintelligibles. Un savant, de passage dans la ville, reconnut qu'il parlait alors très correctement l'indoustani[1]. Comment cet enfant de douze ans, qui n'avait jamais quitté Strasbourg, avait-il
60 appris cette langue ?

Donc, ce jour-là — ou du moins cette nuit — je cheminais par l'une des rues les plus fréquentées d'une de mes villes nocturnes.

Une dame fort simplement vêtue de noir marchait devant
65 moi, apparemment âgée de cinquante ans, mais douée de cette élégance de tournure et de geste qui décèle, même dans une vieille, une femme avertie de bonne heure par sa beauté de veiller sur son maintien.

Un pan de sa robe qu'elle relevait de la main gauche lais-
70 sait voir le bas d'une jambe admirablement tournée. Il me sembla qu'il était convenable de lui témoigner par quelque galanterie la satisfaction qu'elle me causait. Et passant devant elle :

---

1. *indoustani* : hindoustani ou hindi, langue en voie de formation dans le nord de l'Inde, au XIXe siècle, entre soldats et marchands, entre musulmans et hindouistes, à la recherche d'un moyen de communication ; l'hindi est aujourd'hui, avec l'anglais, la langue officielle de l'Inde.

— Madame, lui dis-je, en la saluant, vous avez une jambe
75   délicieuse !

Son visage ne démentait pas ce que faisait présager sa tournure ; une figure pâle, à grands traits, encadrée de cheveux
gris bien plantés, et doucement éclairée par deux prunelles
bleues un peu éteintes par l'âge et peut-être par les larmes.
80   Il ne parut pas que mon compliment l'eût choquée ; tout au
contraire, me souriant :

— Je le sais, monsieur, répondit-elle ; on me l'a dit bien souvent autrefois, et je vous avouerai que j'ai encore du plaisir
à l'entendre dire.

85   Là-dessus, grâce à l'admirable simplicité de la vie du rêve,
je lui offrais mon bras et toujours causant, je la reconduisais
jusqu'à la porte de sa maison.

Arrivés là :

— Monsieur, me dit-elle, je vous inviterais volontiers à venir
90   vous reposer chez moi ; mais je vis seule avec mon mari qui
est vieux et, — ajouta-t-elle avec une émotion qui lui tira les
larmes des yeux — et ma fille, — une pauvre enfant que les
médecins ont condamnée. Vous voyez que ce serait là pour
vous une maigre distraction.

95   La douleur de cette mère m'était allée au cœur.

— Madame, répondis-je, ne croyez pas que je sois si
curieux, ni si avide de me distraire. Je suis d'ailleurs quelque
peu médecin moi-même, et si j'étais assez heureux pour vous
donner un bon conseil sur la santé de mademoiselle votre fille,
100   ce me serait un motif de plus de me féliciter de vous avoir
rencontrée.

(Dans la vie ordinaire je ne m'exprime pas toujours aussi
bien que cela.)

Nous montons au quatrième étage et nous entrons dans un
105   de ces appartements à huit cents francs[1], refuge ordinaire des
fortunes détruites et des employés mis à la retraite.

---

1. *huits cents francs* : environ 400 $ (par mois), montant d'un loyer modeste.

Au fond de la pièce où je fus introduit, au coin de la cheminée, tout encombrée de cafetières et de pots à tisane, était
assis dans une bergère en velours d'Utrecht[1] le vieux mari.
110   Nous nous saluâmes.

— Voici, me dit la dame, notre pauvre enfant. Perdre une
enfant si belle ! ajouta-t-elle en se penchant à mon oreille.

Le lit de la malade avait été roulé au milieu de la chambre,
pour l'entourer d'air comme il convenait.

115   En m'approchant de ce lit je fus frappé de stupéfaction.
Non ! jamais figure plus idéalement belle ne s'était présentée
à ma vue !

Blanche, mais blanche jusqu'à en paraître bleue, sa blancheur était encore augmentée par la pâleur particulière aux
120   visages des jeunes filles moribondes et qui leur donne la transparence mate de l'opale, — comme si, prête à se dégager de
ce corps vaincu, l'âme devenait plus visible —; ses grands yeux
bleu foncé, encore agrandis par la maigreur, nageaient dans
le fluide ; ses lèvres rouges, irritées par la fièvre, tremblaient
125   convulsivement ; une abondante chevelure d'un blond
vigoureux se répandait sur l'oreiller, en ondes, en torsades,
en nœuds, en pelotons, et faisait un cadre d'or à cette image
de la souffrance résignée.

Placée au bord opposé à celui près duquel je me tenais, la
130   mère semblait deviner ce qui se passait en moi et paraissait
jouir de mon admiration.

Elle se rapprocha de moi et, feignant de vaquer à quelque
soin autour de la malade, elle releva un des coins de la
couverture.

135   — Vous m'avez tout à l'heure fait un compliment sur ma
jambe, me dit-elle à voix basse. Que direz-vous donc en voyant
celle-ci ?

---

1. *velours d'Utrecht* : « Espèce de velours de laine à longs poils et ordinairement façonné,
dont on se sert pour faire des meubles. » (*Dictionnaire de l'Académie française*, 6ᵉ édition, 1832-5)

C'était la jambe de Diane! — Pour le coup je ne me possédai plus.

140 — Non, madame! non! m'écriai-je, on ne peut laisser mourir ainsi une aussi belle fille! Non! quand je devrais aller chercher toute la Faculté de Médecine, le Doyen en tête, nous la sauverons, nous la sauverons!

Je ne me rappelle plus aujourd'hui ce que j'ajoutai; mais 145 je sais parfaitement que je parlai ainsi pendant une heure avec un élan de conviction vraiment supérieur. Je tenais entre mes deux mains la main de la jeune malade. Le vieux père s'était levé et, debout au chevet de sa fille, me regardait, une larme dans chaque œil. Je sentais bien que je les persuadais tous 150 deux, le père et la mère, qu'ils me considéraient comme un sauveur, et que comme *post-scriptum* obligé à toutes leurs actions de grâces, ils me promettaient cette main que je tenais dans les miennes, la main de leur fille!

Je me précipitai dans l'escalier, et toujours parlant, toujours 155 me grisant de mes paroles, je traversai de suite une longue enfilade de jardins.

Où allais-je? Je n'en sais rien!

Le ciel était bleu, les murs tapissés de verdure, les arbres couverts de fruits, l'air chargé des senteurs de mille fleurs dé-160 licieuses. Mais cette fête extérieure n'était rien auprès de la fête de mon cœur.

Je marchais, je volais, je courais sans toucher terre à peine; sans savoir où, disais-je tout à l'heure? Oh! si! J'allais à la conquête du bonheur, à la conquête inespérée de l'idéal 165 entrevu.

Je me sentais enfin en vue du port tant de fois désiré. Je me voyais accueilli comme un bienfaiteur, comme un fils, par cette brave famille chez qui tout, jusqu'aux meubles mêmes, avait un air de probité digne et de loyauté patriarcale; je leur ap-170 portais en dot le salut de leur fille, et je passais désormais les plus belles journées, tout entier à mes études aimées, entre ma belle femme et ses vieux parents.

Le dirai-je, qu'au réveil le souvenir de ce rêve m'affecta
singulièrement et que, plus d'une fois depuis, aux heures de
175   dégoût et de découragement, je m'y suis retranché avec béatitude? Car quel paradis meilleur à inventer pour ces âmes
sans cesse tiraillées, de haut, de bas[1], par des ennemis visibles
et invisibles, que le calme de l'esprit réchauffé par des affec-
tions sincères?

> Paru pour la première fois dans
> le recueil *La Double Vie* en 1858.

---

1. *de haut, de bas*: de toutes parts.

Jules Verne (1828-1905)

Jules Verne naît à Nantes en 1828 et meurt à Amiens en 1905. Tournant le dos à des études de droit, il fréquente le milieu littéraire parisien. Vers 1850, il se passionne, en autodidacte, pour le mouvement scientifique. À la même époque, il découvre avec enthousiasme les textes d'Edgar Allan Poe (1809-1849) et va même jusqu'à écrire la suite de l'unique roman de ce dernier (*Les Aventures d'Arthur Gordon Pym*, 1837) qu'il intitulera *Le Sphinx des glaces* (1897). Son œuvre imposante est constituée d'une centaine de romans et de nouvelles, dont soixante-cinq appartiennent aux *Voyages extraordinaires*, une série de romans qui racontent des voyages d'exploration inusités et variés.

L'œuvre de Verne s'inspire d'un optimisme scientifique caractéristique de son époque. D'ailleurs, on a souvent souligné chez lui le visionnaire. Il a écrit plusieurs romans de science-fiction (*De la Terre à la Lune*, 1865), des romans d'aventures géographiques (*Vingt mille lieues sous les mers*, 1870), et des romans historiques (*Famille sans nom*, 1889, dont l'histoire se déroule au Québec durant la révolte des Patriotes de 1837).

Verne devient de plus en plus critique et pessimiste vers la fin de sa vie, comme en témoigne « Frritt-Flacc », récit qui s'inscrit tout à fait dans le genre fantastique ; la fin est d'ailleurs digne des récits les plus représentatifs du genre. Particulièrement déroutant, le récit fait appel à un lexique unique en son genre : des mots inventés parsèment le texte. Dans son ensemble, « Frritt-Flacc » se démarque de l'œuvre vernienne autrement plus réaliste.

Frritt-Flacc[1]

I

Frritt[o2]!… c'est le vent qui se déchaîne.

Flacc°!… c'est la pluie qui tombe à torrents.

Cette rafale mugissante courbe les arbres de la côte volsi-
nienne° et va se briser contre le flanc des montagnes de
5 Crimma°. Le long du littoral, de hautes roches sont rongées
par les lames de cette vaste mer de la Mégalocride°.

Frritt!… Flacc!…

Au fond du port se cache la petite ville de Luktrop°.
Quelques centaines de maisons, avec miradores[3] verdâtres,
10 qui les défendent tant bien que mal contre les vents du large.
Quatre ou cinq rues montantes, plus ravines que rues, pavées
de galets, souillées de scories que projettent les cônes érup-
tifs de l'arrière-plan. Le volcan n'est pas loin, — le Vanglor°.
Pendant le jour, la poussée intérieure s'épanche sous forme
15 de vapeurs sulfurées. Pendant la nuit, de minute en minute,
gros vomissements de flammes. Comme un phare, d'une portée de cent cinquante kertses°, le Vanglor signale le port de
Luktrop aux caboteurs, felzanes°, verliches° ou balanzes° dont
l'étrave scie les eaux de la Mégalocride.

20 De l'autre côté de la ville s'entassent quelques ruines de
l'époque crimmérienne°. Puis, un faubourg d'aspect arabe, en
casbah, à murs blancs, à toits ronds, à terrasses dévorées du

---

1. Nous avons retenu, pour l'essentiel, le texte *Jules Verne*, anthologie réunie et présentée
par François Raymond, coll. Le livre d'or de la science-fiction, Paris, Presses Pocket,
1986, 288 pages (p. 177-185). Nous avons également emprunté quelques variantes
à l'édition originale publiée dans *Le Figaro illustré*, décembre 1884, p. 6-7.

2. *Frritt* : onomatopée et néologisme. Pour vous éviter de vaines recherches au dictionnaire, la première occurrence de chaque néologisme, incluant les noms propres
des personnages et des lieux, sera identifiée par une pastille blanche (°). Vous en trouverez la liste dans l'annexe I, p. 183.

3. *miradores* : graphie espagnole de *miradors*, au pluriel.

soleil, — amoncellement de cubes de pierre, jetés au hasard.
Vrai tas de dés à jouer, dont les points se seraient effacés sous
25 la patine du temps.

Entre autres, on remarque le Six-Quatre°, nom donné à une
construction bizarre, ayant six ouvertures sur une face, quatre
sur l'autre.

Un clocher domine la ville, le clocher carré de Sainte-
30 Philfilène°, avec cloches suspendues dans l'entrefend° des
murs, et que l'ouragan met quelquefois en branle. Mauvais
signe. Alors on a peur dans le pays.

Telle est Luktrop. Puis, des habitations, des huttes misérables, éparses dans la campagne, au milieu des genêts et des
35 bruyères, *passim*, comme en Bretagne. Mais on n'est pas en
Bretagne.

Est-on en France ? Je ne sais. En Europe ? Je l'ignore.

En tout cas, ne cherchez pas Luktrop sur la carte, — même
dans l'atlas de Stieler[1].

II

40 Froc°!... Un coup discret a été frappé à l'étroite porte du
Six-Quatre, à l'angle gauche de la rue Messaglière°. C'est une
maison des plus confortables, si, toutefois, ce mot a cours à
Luktrop, — une des plus riches, si de gagner bon an mal an
quelques milliers de fretzers° constitue la richesse.

45 Au froc a répondu un de ces aboiements sauvages, dans lesquels il y a du hurlement, — ce que serait l'aboiement d'un
loup. Puis une fenêtre à guillotine s'ouvre au-dessus de la porte
du Six-Quatre.

« À tous les diables, les importuns ! » dit une voix de
50 méchante humeur.

Une jeune fille grelottant sous la pluie, enveloppée d'une
mauvaise cape, demande si le docteur Trifulgas° est à la
maison.

---

1. *Stieler* : l'Allemand Adolf Stieler a publié, en 1876, *Hand Atlas*, appelé Atlas Stieler.

« Il y est ou n'y est pas, — c'est selon !

55 — Je viens pour mon père qui se meurt !

— Où se meurt-il ?

— Du côté du Val Karniou°, à quatre kertses d'ici.

— Et il se nomme ?…

— Vort Kartif°.

60 — Vort Kartif… le craquelinier° ?

— Oui, et si le docteur Trifulgas…

— Le docteur Trifulgas n'y est pas ! »

Et la fenêtre se referma brutalement, pendant que les Frritts du vent et les Flaccs de la pluie se confondaient dans un 65 assourdissant tapage.

III

Un homme dur, ce docteur Trifulgas. Peu compatissant, ne soignant que contre espèces versées d'avance. Son vieux Hurzof°, — un métis de bouledogue et d'épagneul, — aurait eu plus de cœur que lui. La maison du Six-Quatre, inhospi-70 talière aux pauvres gens, ne s'ouvrait que pour les riches. D'ailleurs, c'était tarifé : tant pour une fièvre typhoïde, tant pour une congestion, tant pour une péricardite et autres maladies que les médecins inventent par douzaines. Or, le craquelinier Vort Kartif était un pauvre homme, d'une famille 75 misérable. Pourquoi le docteur Trifulgas se serait-il dérangé, et par une nuit pareille !

« Rien que de m'avoir fait lever, murmura-t-il en se recouchant, ça valait déjà dix fretzers ! »

Vingt minutes s'étaient à peine écoulées, que le marteau de 80 fer frappait encore l'huis du Six-Quatre.

Tout maugréant, le docteur quitta son lit, et, penché hors de la fenêtre :

« Qui va là ? cria-t-il.

— Je suis la femme de Vort Kartif.

85 — Le craquelinier du Val Karniou ?

— Oui, et si vous refusez de venir, il mourra !

— Eh bien, vous serez veuve !

— Voici vingt fretzers…

— Vingt fretzers, pour aller au Val Karniou, à quatre hertses

90   d'ici ?

— Par grâce !

— Au diable ! »

Et la fenêtre se referma. Vingt fretzers ! la belle aubaine ! Risquer un rhume ou une courbature pour vingt fretzers,

95   surtout quand, le lendemain, on est attendu à Kiltreno°, chez le riche Edzingov°, le goutteux, dont on exploite la goutte à cinquante fretzers par visite !

Sur cette agréable perspective, le docteur Trifulgas se rendormit plus dur que devant.

IV

100   Frritt !… Flacc !… Et puis, froc !… froc !… froc !…

À la rafale se sont joints, cette fois, trois coups de marteau, frappés d'une main plus décidée. Le docteur dormait. Il se réveilla, mais de quelle humeur ! La fenêtre ouverte, l'ouragan entra comme une boîte à mitraille.

105   « C'est pour le craquelinier…

— Encore ce misérable !

— Je suis sa mère !

— Que la mère, la femme et la fille crèvent avec lui !

— Il a eu une attaque !

110   — Eh ! qu'il se défende !

— On nous a remis quelque argent, reprit l'aïeule, un acompte sur la maison qui est vendue au camondeur° Dontrup°, de la rue Messaglière. Si vous ne venez pas, ma petite-fille n'aura plus de père, ma fille n'aura plus de mari, moi,

115   je n'aurai plus de fils… »

C'était pitoyable et terrible d'entendre la voix de cette vieille, de penser que le vent lui glaçait le sang dans les veines, que la pluie lui trempait les os jusque sous sa maigre chair.

« Une attaque, c'est deux cents fretzers ! répondit le sans-
cœur Trifulgas.

– Nous n'en avons que cent vingt !

– Bonsoir ! »

Et la fenêtre de se refermer.

Mais, après réflexion, cent vingt fretzers pour une heure
et demie de course, plus une demi-heure de visite, cela fait
encore soixante fretzers l'heure, – un fretzer par minute. Petit
profit, point à dédaigner pourtant.

Au lieu de se recoucher, le docteur se glissa dans son habit
de valvêtre°, descendit dans ses grandes bottes de marais, s'en-
fourna sous sa houppelande de lurtaine°, et, son sourouët°
à la tête, ses moufles aux mains, il laissa sa lampe allumée,
près de son Codex, ouvert à la page 197. Puis, poussant la
porte du Six-Quatre, il s'arrêta sur le seuil.

La vieille était là, appuyée sur son bâton, décharnée par ses
quatre-vingts ans de misère !

« Les cent vingt fretzers ?

— Les voici, et que Dieu vous les rende au centuple !

— Dieu ! L'argent de Dieu ! Est-ce que personne en a jamais vu la couleur ? »

Le docteur siffla Hurzof, lui mit une petite lanterne à la
gueule, prit le chemin de la mer.

La vieille suivait.

V

Quel temps de Frritts et de Flaccs ! Les cloches de Sainte-
Philfilène se sont mises en branle sous la bourrasque.
Mauvais signe. Bah ! le docteur Trifulgas n'est pas superstitieux.
Il ne croit à rien, pas même à sa science, — excepté pour ce
qu'elle lui rapporte.

Quel temps, mais aussi quel chemin ! Des galets et des
scories, — les galets, glissants de varechs, les scories, qui cré-
pitent comme du mâchefer. Pas d'autre lumière que la

lanterne du chien Hurzof, vague, vacillante. Parfois, la poussée de flammes du Vanglor, au milieu desquelles paraissent se démener de grandes silhouettes falotes. On ne sait vraiment pas ce qu'il y a au fond de ces cratères insondables. Peut-être
155   les âmes du monde souterrain, qui se volatilisent en sortant.

Le docteur et la vieille suivent le contour des petites baies du littoral. La mer est blanche, d'un blanc livide, — un blanc de deuil. Elle brasille en s'écrêtant à la ligne phosphorescente du ressac, qui semble verser des potées de vers luisants sur
160   la grève.

Tous deux remontent ainsi jusqu'au détour du chemin, entre les dunes vallonnées, dont les genêts et les joncs s'entrechoquent avec un cliquetis de baïonnettes.

Le chien s'était rapproché de son maître et semblait lui dire:
165   «Hein! Cent vingt fretzers à mettre dans le coffre-fort! C'est ainsi que l'on fait fortune! Une mesure de plus à l'enclos de vigne! Un plat de plus au souper du soir! Une pâtée de plus au fidèle Hurzof! Soignons les riches malades, et saignons-les… à leur bourse!»

170   En cet endroit, la vieille s'arrête. De son doigt tremblant elle montre, dans l'ombre, une lumière rougeâtre. C'est la maison de Vort Kartif, le craquelinier.

«Là? fait le docteur.

— Oui, répond la vieille.

175   — Harraouahº!» pousse le chien Hurzof.

Tout à coup, le Vanglor détone, secoué jusque dans les contreforts de sa base. Une gerbe de flammes fuligineuses monte jusqu'au zénith, trouant les nuages. Le docteur Trifulgas a été renversé du coup.

180   Il jure comme un chrétien, se relève, regarde.

La vieille n'est plus derrière lui. A-t-elle disparu dans quelque entrouvertureº du sol, ou s'est-elle envolée à travers le flottement des brumes?

Quant au chien, il est toujours là, debout sur ses pattes de
185   derrière, la gueule ouverte, sa lanterne éteinte.

« Allons toujours ! » murmure le docteur Trifulgas.

L'honnête homme a reçu ses cent vingt fretzers. Il faut bien les gagner.

VI

Plus qu'un point lumineux, à une demi-kertse. C'est la lampe du mourant, — du mort peut-être. Voilà bien la maison du craquelinier. L'aïeule l'a indiquée du doigt. Pas d'erreur possible.

Au milieu des Frritts sifflants, des Flaccs crépitants dans le brouhaha de la tourmente, le docteur Trifulgas marche à pas pressés.

À mesure qu'il s'avance, la maison se dessine mieux, étant isolée au milieu de la lande.

Il est singulier d'observer combien elle ressemble à celle du docteur, au Six-Quatre de Luktrop. Même disposition de fenêtres sur la façade, même petite porte cintrée.

Le docteur Trifulgas se hâte aussi rapidement que le permet la rafale. La porte est entrouverte, il n'a qu'à la pousser, il la pousse, il entre, et le vent la referme sur lui — brutalement.

Le chien Hurzof, dehors, hurle, se taisant par intervalles, comme les chantres entre les versets d'un psaume des Quarante-Heures[1].

C'est étrange ! On dirait que le docteur Trifulgas est revenu dans sa propre maison. Il ne s'est pas égaré, cependant. Il n'a point fait un détour. Il est bien au Val Karniou, non à Luktrop. Et pourtant, même corridor, bas et voûté, même escalier de bois tournant, à grosse rampe, usée de frottements de mains.

Il monte. Il arrive au palier. Devant la porte, une faible lueur filtre en dessous, comme au Six-Quatre. Est-ce une hallucination ? Dans la lumière vague, il reconnaît sa chambre, le

---

1. *Quarante-Heures* : prières et chants expiatoires, introduits dans l'univers catholique en 1556 pour lutter contre les excès licencieux du carnaval, et qui ont lieu durant les quarante heures qui précèdent le mercredi des Cendres.

215 canapé jaune, à droite, le bahut en vieux poirier, à gauche,
le coffre-fort bardé, où il comptait déposer ses cent vingt fretzers. Voilà son fauteuil à oreillons[1] de cuir, voilà sa table à pieds
tors, et dessus, près de la lampe qui se meurt, son Codex,
ouvert à la page 197.

220   « Qu'ai-je donc ? » murmure-t-il.

Ce qu'il a ? Il a peur. Sa pupille s'est dilatée. Son corps s'est
comme contracté, amoindri. Une transsudation glacée refroidit
sa peau, sur laquelle il sent courir de rapides horripilations.

Mais hâte-toi donc ! Faute d'huile, la lampe va s'éteindre,
225 — le moribond aussi !

Oui, le lit est là, — son lit, à colonnes, à baldaquin, aussi
long que large, fermé de courtines à grands ramages. Est-il
possible que ce soit là le grabat d'un misérable craquelinier ?

D'une main qui tremble, le docteur Trifulgas saisit les
230 rideaux. Il les ouvre, il regarde.

Le moribond, sa tête hors des couvertures, est immobile,
comme au bout de sa dernière respiration.

Le docteur se penche sur lui…

Ah ! quel cri, auquel répond, en dehors, un sinistre aboie-
235 ment du chien.

Le moribond, ce n'est pas le craquelinier Vort Kartif… C'est
le docteur Trifulgas !… C'est lui que la congestion a frappé,
— lui-même ! Une apoplexie cérébrale, avec brusque accumulation de sérosité dans les cavités du cerveau, avec para-
240 lysie du corps au côté opposé à celui où se trouve le siège de
la lésion !

Oui ! c'est lui, pour qui on est venu le chercher, pour qui on
a payé cent vingt fretzers ! Lui, qui, par dureté de cœur, refusait d'aller soigner le craquelinier pauvre ! Lui, qui va mourir !

245   Le docteur Trifulgas est comme fou. Il se sent perdu. Les
accidents croissent de minute en minute. Non seulement

---

1. *oreillons* : oreillards ou oreilles de fauteuil, sur lesquels on peut appuyer la tête.

toutes les fonctions de relation se suppriment en lui, mais les mouvements du cœur et de la respiration vont cesser. Et pourtant, il n'a pas encore entièrement perdu la conscience de lui-même !

Que faire ? Diminuer la masse du sang au moyen d'une émission sanguine ? Le docteur Trifulgas est mort, s'il hésite…

On saignait encore dans ce temps-là, et, comme à présent, les médecins guérissaient de l'apoplexie tous ceux qui ne devaient pas en mourir.

Le docteur Trifulgas saisit sa trousse, tire sa lancette, pique la veine du bras de son sosie : le sang ne vient pas à son bras. Il lui fait d'énergiques frictions à la poitrine : le jeu de la sienne s'arrête. Il lui brûle les pieds avec des pierres chaudes[1] ; les siens se refroidissent.

Alors son sosie se redresse, se débat, pousse un râle suprême…

Et le docteur Trifulgas, malgré tout ce qu'a pu lui inspirer la science, *se meurt entre ses mains*. Frritt !… Flacc !…

VII

Le matin, dans le maison du Six-Quatre, on ne trouva plus qu'un cadavre, — celui du docteur Trifulgas. On le mit en bière, et il fut conduit en grande pompe au cimetière de Luktrop, après tant d'autres qu'il y avait envoyés — selon la formule.

Quant au vieux Hurzof, on dit que, depuis ce jour, il court la lande, avec sa lanterne rallumée, hurlant au chien perdu.

Je ne sais si cela est, mais il se passe tant de choses étranges dans ce pays de la Volsinie°, précisément aux alentours de Luktrop !

---

1. *Il lui brûle les pieds avec des pierres chaudes* : ancienne méthode médicale pour réchauffer les pieds et stimuler le flot sanguin du corps.

275   D'ailleurs, je le répète, ne cherchez pas cette ville sur la carte. Les meilleurs géographes n'ont pas encore pu se mettre d'accord sur sa situation en latitude — ni même en longitude.

Paru dans *Le Figaro illustré*, en décembre 1884,
puis dans *Le Magasin d'éducation et de récréation*,
le 1ᵉʳ décembre 1886 ;
recueilli à la suite du roman *Un billet de loterie* en 1886.

La Nuit étoilée (1889), Vincent Van Gogh (1853-1890). Huile sur toile.
© The Museum of Modern Art / Licensed by SCALA / Art Resource, NY.

Émile Zola (1840-1902)

Émile Zola naît à Paris en 1840 et y meurt en 1902. Ami d'enfance de Paul Cézanne (1839-1906), il garde toute sa vie un intérêt soutenu pour la peinture, rédigeant de nombreuses critiques artistiques. Zola est un contestataire dans l'âme ; il reprend du service pamphlétaire à chaque fois qu'une cause lui tient à cœur. Que ce soit une préface cinglante lorsqu'on traite son œuvre de « pornographique » ou encore la défense de ce qu'il croit être juste dans l'affaire Dreyfus (1898), il a toujours la réplique impitoyable.

Zola est surtout célèbre pour sa fresque romanesque en vingt volumes, le cycle *Les Rougon-Macquart* (1871-1893), qui brosse le tableau d'une famille à travers le XIXᵉ siècle. On y retrouve ses œuvres les plus célèbres comme *La Curée*, *L'Assommoir*, *Nana*, *Germinal*, *La Bête humaine*. Cette œuvre colossale va faire de lui le chef de file du courant naturaliste.

Mais Zola n'a pas débuté comme romancier : il est en fait d'abord nouvelliste et feuilletoniste. Le roman *Thérèse Raquin*, par exemple, était à l'origine un conte intitulé « Un mariage d'amour » (1866) et publié dans *Le Figaro*. En 1864, à l'âge de vingt-quatre ans, il publie ses *Contes à Ninon*, d'inspiration romantique. Le récit de « La Mort d'Olivier Bécaille » (1879) est pourtant atypique dans son œuvre. En effet, malgré les quelques explications réalistes du phénomène, auxquelles on a peine à croire d'ailleurs, le cauchemar surréel qui est raconté dans ce texte est si absolument terrifiant et hors du commun qu'il doit relever de l'horreur… Une manière réaliste de susciter l'horreur.

La Mort d'Olivier Bécaille[1]

1

C'est un samedi, à six heures du matin que je suis mort après trois jours de maladie. Ma pauvre femme fouillait depuis un instant dans la malle, où elle cherchait du linge. Lorsqu'elle s'est relevée et qu'elle m'a vu rigide, les yeux
5 ouverts, sans un souffle, elle est accourue, croyant à un éva-nouissement, me touchant les mains, se penchant sur mon visage. Puis, la terreur l'a prise ; et, affolée elle a bégayé, en éclatant en larmes :

— Mon Dieu ! mon Dieu ! il est mort !

10 J'entendais tout, mais les sons affaiblis semblaient venir de très loin. Seul, mon œil gauche percevait encore une lueur confuse, une lumière blanchâtre où les objets se fondaient ; l'œil droit se trouvait complètement paralysé. C'était une syn-cope de mon être entier comme un coup de foudre qui m'avait
15 anéanti. Ma volonté était morte, plus une fibre de ma chair ne m'obéissait. Et, dans ce néant, au-dessus de mes membres inertes, la pensée seule demeurait, lente et paresseuse, mais d'une netteté parfaite.

Ma pauvre Marguerite pleurait, tombée à genoux devant
20 le lit, répétant d'une voix déchirée :

— Il est mort, mon Dieu ! il est mort !

Était-ce donc la mort, ce singulier état de torpeur, cette chair frappée d'immobilité, tandis que l'intelligence fonctionnait tou-jours ? Était-ce mon âme qui s'attardait ainsi dans mon crâne,
25 avant de prendre son vol ? Depuis mon enfance, j'étais sujet à des crises nerveuses. Deux fois, tout jeune, des fièvres

---

1. Nous avons retenu, pour l'essentiel, le texte de l'édition d'Émile Zola, *Contes et Nouvelles*, texte établi, présenté et annoté par Roger Ripoll, coll. La Pléiade, Paris, Gallimard, 1976, 1624 pages (p. 803-830).

aiguës avaient failli m'emporter. Puis, autour de moi, on s'était habitué à me voir maladif ; et moi-même j'avais défendu à Marguerite d'aller chercher un médecin, lorsque je m'étais cou-
30 ché le matin de notre arrivée à Paris, dans cet hôtel meublé de la rue Dauphine[1]. Un peu de repos suffirait, c'était la fatigue du voyage qui me courbaturait ainsi. Pourtant, je me sentais plein d'une angoisse affreuse. Nous avions quitté brus-quement notre province[2] très pauvres, ayant à peine de quoi
35 attendre les appointements de mon premier mois, dans l'ad-ministration où je m'étais assuré une place. Et voilà qu'une crise subite m'emportait !

Était-ce bien la mort ? Je m'étais imaginé une nuit plus noire, un silence plus lourd. Tout petit, j'avais déjà peur de mourir.
40 Comme j'étais débile[3] et que les gens me caressaient avec com-passion, je pensais constamment que je ne vivrais pas, qu'on m'enterrerait de bonne heure. Et cette pensée de la terre me causait une épouvante, à laquelle je ne pouvais m'habituer, bien qu'elle me hantât nuit et jour. En grandissant, j'avais gardé
45 cette idée fixe. Parfois, après des journées de réflexion, je croyais avoir vaincu ma peur. Eh bien ! on mourait, c'était fini ; tout le monde mourait un jour ; rien ne devait être plus com-mode ni meilleur. J'arrivais presque à être gai, je regardais la mort en face. Puis, un frisson brusque me glaçait, me rendait
50 à mon vertige, comme si une main géante m'eût balancé au-dessus d'un gouffre noir. C'était la pensée de la terre qui revenait et emportait mes raisonnements. Que de fois, la nuit, je me suis réveillé en sursaut, ne sachant quel souffle avait passé sur mon sommeil, joignant les mains avec désespoir, bal-
55 butiant : « Mon Dieu ! mon Dieu ! il faut mourir ! » Une

---

1. *la rue Dauphine* : située sur la rive gauche de la Seine, la rue Dauphine commence à la sortie du Pont-Neuf et se termine au boulevard Saint-Germain ; voir la carte de Paris, p. 18-19.

2. *province* : région.

3. *débile* : sans force physique, frêle, malingre.

anxiété me serrait la poitrine, la nécessité de la mort me
paraissait plus abominable, dans l'étourdissement du réveil.
Je ne me rendormais qu'avec peine, le sommeil m'inquiétait,
tellement il ressemblait à la mort. Si j'allais dormir toujours !
60   Si je fermais les yeux pour ne les rouvrir jamais !

J'ignore si d'autres ont souffert ce tourment. Il a désolé ma
vie. La mort s'est dressée entre moi et tout ce que j'ai aimé.
Je me souviens des plus heureux instants que j'ai passés avec
Marguerite. Dans les premiers mois de notre mariage, lors-
65   qu'elle dormait la nuit à mon côté, lorsque, je songeais à elle
en faisant des rêves d'avenir, sans cesse l'attente d'une sépa-
ration fatale gâtait mes joies, détruisait mes espoirs. Il faudrait
nous quitter, peut-être demain, peut-être dans une heure. Un
immense découragement me prenait, je me demandais à quoi
70   bon le bonheur d'être ensemble, puisqu'il devait aboutir à un
déchirement si cruel. Alors, mon imagination se plaisait dans
le deuil. Qui partirait le premier, elle ou moi ? Et l'une ou
l'autre alternative m'attendrissait aux larmes, en déroulant le
tableau de nos vies brisées. Aux meilleures époques de mon
75   existence, j'ai eu ainsi des mélancolies soudaines que personne
ne comprenait. Lorsqu'il m'arrivait une bonne chance, on
s'étonnait de me voir sombre. C'était que tout d'un coup, l'idée
de mon néant avait traversé ma joie. Le terrible : « À quoi
bon ? » sonnait comme un glas à mes oreilles. Mais le pis de
80   ce tourment, c'est qu'on l'endure dans une honte secrète. On
n'ose dire son mal à personne. Souvent le mari et la femme,
couchés côte à côte, doivent frissonner du même frisson,
quand la lumière est éteinte ; et ni l'un ni l'autre ne parle, car
on ne parle pas de la mort, pas plus qu'on ne prononce
85   certains mots obscènes. On a peur d'elle jusqu'à ne point la
nommer, on la cache comme on cache son sexe.

Je réfléchissais à ces choses, pendant que ma chère
Marguerite continuait à sangloter. Cela me faisait grand peine
de ne savoir comment calmer son chagrin, en lui disant que
90   je ne souffrais pas. Si la mort n'était que cet évanouissement

de la chair, en vérité j'avais eu tort de la tant redouter. C'était un bien-être égoïste, un repos dans lequel j'oubliais mes soucis. Ma mémoire surtout avait pris une vivacité extraordinaire. Rapidement, mon existence entière passait devant moi, ainsi
95 qu'un spectacle auquel, je me sentais désormais étranger. Sensation étrange et curieuse qui m'amusait : on aurait dit une voix lointaine qui me racontait mon histoire.

Il y avait un coin de campagne, près de Guérande[1], sur la route de Piriac[1], dont le souvenir me poursuivait. La route
100 tourne, un petit bois de pins descend à la débandade[2] une pente rocheuse. Lorsque j'avais sept ans, j'allais là avec mon père, dans une maison à demi écroulée, manger des crêpes chez les parents de Marguerite, des paludiers qui vivaient déjà péniblement des salines voisines. Puis, je me rappelais le col-
105 lège de Nantes[1] où j'avais grandi, dans l'ennui des vieux murs, avec le continuel désir du large horizon de Guérande, les marais salants à perte de vue, au bas de la ville, et la mer immense, étalée sous le ciel. Là, un trou noir se creusait : mon père mourait, j'entrais à l'administration de l'hôpital comme employé,
110 je commençais une vie monotone, ayant pour unique joie mes visites du dimanche à la vieille maison de la route de Piriac. Les choses y marchaient de mal en pis, car les salines ne rapportaient presque plus rien, et le pays tombait à une grande misère. Marguerite n'était encore qu'une enfant. Elle m'aimait,
115 parce que, je la promenais dans une brouette. Mais, plus tard, le matin où je la demandai en mariage, je compris, à son geste effrayé, qu'elle me trouvait affreux. Les parents me l'avaient donnée tout de suite ; ça les débarrassait. Elle, soumise, n'avait pas dit non. Quand elle se fut habituée à l'idée d'être ma
120 femme, elle ne partit plus trop ennuyée. Le jour du mariage,

---

1. *Guérande* […] *Piriac* […] *Nantes* : lieux appartenant à une région estuarienne près de la côte ouest de la France, plus précisément la préfecture de la Loire-Atlantique ; Guérande est bien connue pour ses marais salants ; Piriac est un très vieux port de mer et un lieu de villégiature que fréquentaient Daudet, Flaubert et Zola ; Nantes est une ville portuaire.

2. *à la débandade* : (vieilli) dans le désordre.

à Guérande, je me souviens qu'il pleuvait à torrents ; et, quand nous rentrâmes, elle dut se mettre en jupon, car sa robe était trempée.

Voilà toute ma jeunesse. Nous avons vécu quelque temps
125 là-bas. Puis, un jour, en rentrant, je surpris ma femme pleurant à chaudes larmes. Elle s'ennuyait, elle voulait partir. Au bout de six mois, j'avais des économies, faites sou à sou, à l'aide de travaux supplémentaires ; et, comme un ancien ami de ma famille s'était occupé de lui trouver une place à Paris, j'em-
130 menai la chère enfant, pour qu'elle ne pleurât plus. En chemin de fer, elle riait. La nuit, la banquette des troisièmes classes étant très dure, je la pris sur mes genoux, afin qu'elle pût dormir mollement.

C'était là le passé. Et, à cette heure, je venais de mourir sur
135 cette couche étroite d'hôtel meublé, tandis que ma femme, tombée à genoux sur le carreau, se lamentait. La tache blanche que percevait mon œil gauche pâlissait peu à peu ; mais je me rappelais très nettement la chambre. À gauche, était la commode ; à droite, la cheminée, au milieu de laquelle une pen-
140 dule détraquée, sans balancier, marquait dix heures six minutes. La fenêtre s'ouvrait sur la rue Dauphine, noire et profonde. Tout Paris passait là, et dans un tel vacarme, que j'entendais les vitres trembler.

Nous ne connaissions personne à Paris. Comme nous
145 avions pressé notre départ, on ne m'attendait que le lundi suivant à mon administration. Depuis que j'avais dû prendre le lit, c'était une étrange sensation que cet emprisonnement dans cette chambre, où le voyage venait de nous jeter, encore effarés de quinze heures de chemin de fer, étourdis du tumulte
150 des rues. Ma femme m'avait soigné avec sa douceur souriante ; mais je sentais combien elle était troublée. De temps à autre, elle s'approchait de la fenêtre, donnait un coup d'œil à la rue, puis revenait toute pâle, effrayée par ce grand Paris dont elle ne connaissait pas une pierre et qui grondait si terriblement.
155 Et qu'allait-elle faire, si je ne me réveillais plus ? qu'allait-elle

devenir dans cette ville immense, seule, sans un soutien, ignorante de tout ?

Marguerite avait pris une de mes mains qui pendait, inerte au bord du lit ; et elle la baisait, et elle répétait follement :

— Olivier, réponds-moi… Mon Dieu ! il est mort ! il est mort !

La mort n'était donc pas le néant, puisque j'entendais et que je raisonnais. Seul, le néant m'avait terrifié, depuis mon enfance. Je ne m'imaginais pas la disparition de mon être, la suppression totale de ce que j'étais ; et cela pour toujours, pendant des siècles et des siècles encore, sans que jamais mon existence pût recommencer. Je frissonnais parfois, lorsque je trouvais dans un journal une date future du siècle prochain : je ne vivrais certainement plus à cette date, et cette année d'un avenir que je ne verrais pas, où je ne serais pas, m'emplissait d'angoisse. N'étais-je pas le monde, et tout ne croulerait-il pas, lorsque je m'en irais ?

Rêver de la vie dans la mort, tel avait toujours été mon espoir. Mais ce n'était pas la mort sans doute. J'allais certainement me réveiller tout à l'heure. Oui, tout à l'heure, je me pencherais et je saisirais Marguerite entre mes bras, pour sécher ses larmes. Quelle joie de nous retrouver ! et comme nous nous aimerions davantage ! Je prendrais encore deux jours de repos, puis j'irais à mon administration. Une vie nouvelle commencerait pour nous, plus heureuse, plus large. Seulement, je n'avais pas de hâte. Tout à l'heure, j'étais trop accablé. Marguerite avait tort de se désespérer ainsi, car je ne me sentais pas la force de tourner la tête sur l'oreiller pour lui sourire. Tout à l'heure, lorsqu'elle dirait de nouveau : « Il est mort ! mon Dieu ! il est mort ! », je l'embrasserais, je murmurerais très bas, afin de ne pas l'effrayer : « Mais non, chère enfant. Je dormais. Tu vois bien que je vis et que je t'aime. »

2

Aux cris que Marguerite poussait, la porte a été brusquement ouverte, et une voix s'est écriée :

190 — Qu'y a-t-il donc, ma voisine ?… Encore une crise, n'est-
ce pas ?

J'ai reconnu la voix. C'était celle d'une vieille femme, Mme
Gabin, qui demeurait sur le même palier que nous. Elle s'était
montrée très obligeante, dès notre arrivée, émue par notre po-
195 sition. Tout de suite, elle nous avait raconté son histoire. Un
propriétaire intraitable lui avait vendu ses meubles, l'hiver dernier ; et, depuis ce temps, elle logeait à l'hôtel, avec sa fille
Adèle, une gamine de dix ans. Toutes deux découpaient des
abat-jour, c'était au plus si elles gagnaient quarante sous à cette
200 besogne.

— Mon Dieu ! est-ce que c'est fini ? demanda-t-elle en
baissant la voix.

Je compris qu'elle s'approchait. Elle me regarda, me toucha, puis elle reprit avec pitié :

205 — Ma pauvre petite ! ma pauvre petite !

Marguerite, épuisée, avait des sanglots d'enfant. Mme Gabin
la souleva, l'assit dans le fauteuil boiteux qui se trouvait près
de la cheminée ; et, là, elle tâcha de la consoler.

—Vrai, vous allez vous faire du mal. Ce n'est pas parce que
210 votre mari est parti, que vous devez vous crever de désespoir.
Bien sûr, quand j'ai perdu Gabin, j'étais pareille à vous, je suis
restée trois jours sans pouvoir avaler gros comme ça de nourriture. Mais ça ne m'a avancée à rien ; au contraire, ça m'a en-
foncée davantage… Voyons pour l'amour de Dieu… Soyez
215 raisonnable.

Peu à peu, Marguerite se tut. Elle était à bout de force ; et,
de temps à autre, une crise de larmes la secouait encore.
Pendant ce temps, la vieille femme prenait possession de la
chambre, avec une autorité bourrue.

220 — Ne vous occupez de rien, répétait-elle. Justement, Dédé est allée reporter l'ouvrage ; puis, entre voisins, il faut bien s'entr'aider[1]… Dites donc, vos malles ne sont pas encore complètement défaites ; mais il y a du linge dans la commode, n'est-ce pas ?

225 Je l'entendis ouvrir la commode. Elle dut prendre une serviette, qu'elle vint étendre sur la table de nuit. Ensuite, elle flotta une allumette, ce qui me fit penser qu'elle allumait près de moi une des bougies de la cheminée, en guise de cierge. Je suivais chacun de ses mouvements dans la chambre, je me
230 rendais compte de ses moindres actions.

— Ce pauvre monsieur ! murmura-t-elle. Heureusement que je vous ai entendue crier ma chère.

Et, tout d'un coup, la lueur vague que je voyais encore de mon œil gauche, disparut. Mme Gabin venait de me fermer
235 les yeux. Je n'avais pas eu la sensation de son doigt sur ma paupière. Quand j'eus compris, un léger froid commença à me glacer.

Mais la porte s'était rouverte. Dédé, la gamine de dix ans, entrait en criant de sa voix flûtée :
240 — Maman ! maman ! ah ! je savais bien que tu étais ici !… Tiens, voilà ton compte, trois francs quatre sous… J'ai rapporté vingt douzaines d'abat-jour…

— Chut ! chut ! tais-toi donc ! répétait vainement la mère.

Comme la petite continuait, elle lui montra le lit. Dédé s'ar-
245 rêta, et je la sentis inquiète, reculant vers la porte.

— Est-ce que le monsieur dort ? demanda-t-elle très bas.

— Oui, va-t'en jouer, répondit Mme Gabin.

Mais l'enfant ne s'en allait pas. Elle devait me regarder de ses yeux agrandis, effarée et comprenant vaguement.
250 Brusquement, elle parut prise d'une peur folle, elle se sauva en culbutant une chaise.

---

1. *s'entr'aider* : orthographe ancienne du verbe « s'entraider ».

— Il est mort, oh! maman, il est mort.

Un profond silence régna. Marguerite, accablée dans le fauteuil, ne pleurait plus. Mme Gabin rôdait toujours par la
255   chambre. Elle se remit à parler entre ses dents.

— Les enfants savent tout, au jour d'aujourd'hui. Voyez
celle-là. Dieu sait si je l'élève bien! Lorsqu'elle va faire une
commission ou que je l'envoie reporter l'ouvrage, je calcule
les minutes, pour être sûre qu'elle ne galopine[1] pas… Ça ne
260   fait rien, elle sait tout, elle a vu d'un coup d'œil ce qu'il en
était. Pourtant, on ne lui a jamais montré qu'un mort, son
oncle François, et, à cette époque, elle n'avait pas quatre ans…
Enfin, il n'y a plus d'enfants, que voulez-vous!

Elle s'interrompit, elle passa sans transition à un autre sujet.

265   — Dites donc, ma petite, il faut songer aux formalités, la
déclaration à la mairie, puis tous les détails du convoi[2]. Vous
n'êtes pas en état de vous occuper de ça. Moi, je ne veux pas
vous laisser seule… Hein? si vous le permettez, je vais voir
si M. Simoneau est chez lui.

270   Marguerite ne répondit pas. J'assistais à toutes ces scènes
comme de très loin. Il me semblait, par moments, que je
volais, ainsi qu'une flamme subtile, dans l'air de la chambre,
tandis qu'un étranger, une masse informe reposait inerte sur
le lit. Cependant, j'aurais voulu que Marguerite refusât les
275   services de ce Simoneau. Je l'avais aperçu trois ou quatre fois
durant ma courte maladie. Il habitait une chambre voisine et
se montrait très serviable. Mme Gabin nous avait raconté qu'il
se trouvait simplement de passage à Paris, où il venait recueillir
d'anciennes créances de son père, retiré en province et mort
280   dernièrement. C'était un grand garçon, très beau, très fort. Je
le détestais, peut-être parce qu'il se portait bien. La veille, il

---

1. *galopine*: du verbe « galopiner » (rare, vieilli), dérivé de « galopin », désignant un enfant espiègle, polisson.

2. *convoi*: cortège funèbre.

était encore entré, et j'avais souffert de le voir assis près de Marguerite. Elle était si jolie, si blanche à côté de lui !

285 Et il l'avait regardée si profondément, pendant qu'elle lui souriait, en disant qu'il était bien bon de venir ainsi prendre de mes nouvelles !

— Voici M. Simoneau, murmura Mme Gabin, qui rentrait.

Il poussa doucement la porte, et, dès qu'elle l'aperçut, Marguerite de nouveau éclata en larmes. La présence de cet
290 ami, du seul homme qu'elle connût, réveillait en elle sa douleur. Il n'essaya pas de la consoler. Je ne pouvais le voir ; mais, dans les ténèbres qui m'enveloppaient, j'évoquais sa figure, et je le distinguais nettement, troublé, chagrin de trouver la pauvre femme dans un tel désespoir. Et qu'elle devait être belle
295 pourtant, avec ses cheveux blonds dénoués, sa face pâle, ses chères petites mains d'enfant brûlantes de fièvre !

— Je me mets à votre disposition, madame, murmura Simoneau. Si vous voulez bien me charger de tout…

Elle ne lui répondit que par des paroles entrecoupées. Mais,
300 comme le jeune homme se retirait, Mme Gabin l'accompagna, et je l'entendis qui parlait d'argent, en passant près de moi. Cela coûtait toujours très cher ; elle craignait bien que la pauvre petite n'eût pas un sou. En tout cas, on pouvait la questionner. Simoneau fit taire la vieille femme. Il ne voulait
305 pas qu'on tourmentât Marguerite. Il allait passer à la mairie et commander le convoi.

Quand le silence recommença, je me demandai si ce cauchemar durerait longtemps ainsi. Je vivais puisque je percevais les moindres faits extérieurs. Et je commençais à me
310 rendre un compte exact de mon état[1]. Il devait s'agir d'un de ces cas de catalepsie dont j'avais entendu parler. Déjà, quand j'étais enfant, à l'époque de ma grande maladie nerveuse, j'avais eu des syncopes de plusieurs heures.

---

1. *me rendre un compte exact de mon état* : comprendre clairement ma situation.

Évidemment c'était une crise de cette nature qui me tenait
315 rigide, comme mort, et qui trompait tout le monde autour de
moi. Mais le cœur allait reprendre ses battements, le sang
circulerait de nouveau dans la détente des muscles ; et je
m'éveillerais, et je consolerais Marguerite. En raisonnant ainsi,
je m'exhortai à la patience.

320   Les heures passaient. Mme Gabin avait apporté son dé-
jeuner. Marguerite refusait toute nourriture. Puis, l'après-midi
s'écoula. Par la fenêtre laissée ouverte, montaient les bruits
de la rue Dauphine. À un léger tintement du cuivre du chan-
delier sur le marbre de la table de nuit, il me sembla qu'on
325 venait de changer la bougie. Enfin, Simoneau reparut.

— Eh bien ? lui demanda à demi-voix la vieille femme.

— Tout est réglé, répondit-il. Le convoi est pour demain
onze heures… Ne vous inquiétez de rien et ne parlez pas de
ces choses devant cette pauvre femme.

330   Mme Gabin reprit quand même :

— Le médecin des morts n'est pas venu encore.

Simoneau alla s'asseoir près de Marguerite, l'encouragea,
et se tut. Le convoi était pour le lendemain onze heures : cette
parole retentissait dans mon crâne comme un glas. Et ce
335 médecin qui ne venait point, ce médecin des morts, comme
le nommait Mme Gabin ! Lui, verrait bien tout de suite que
j'étais simplement en léthargie. Il ferait le nécessaire, il sau-
rait m'éveiller. Je l'attendais dans une impatience affreuse.

Cependant, la journée s'écoula. Mme Gabin, pour ne pas
340 perdre son temps, avait fini par apporter ses abat-jour. Même,
après en avoir demandé la permission à Marguerite, elle fit
venir Dédé, parce que, disait-elle, elle n'aimait guère laisser
les enfants longtemps seuls.

— Allons, entre, murmura-t-elle en amenant la petite, et
345 ne fais pas la bête, ne regarde pas de ce côté, ou tu auras
affaire à moi.

Elle lui défendait de me regarder, elle trouvait cela plus
convenable. Dédé, sûrement, glissait des coups d'œil de temps

à autre, car j'entendais sa mère lui allonger des claques sur
350 les bras. Elle lui répétait furieusement :

— Travaille, ou je te fais sortir. Et, cette nuit, le monsieur
ira te tirer les pieds.

Toutes deux, la mère et la fille, s'étaient installées devant
notre table. Le bruit de leurs ciseaux découpant les abat-jour
355 me parvenait distinctement ; ceux-là, très délicats, deman-
daient sans doute un découpage compliqué, car elles n'allaient
pas vite : je les comptais un à un, pour combattre mon angoisse
croissante.

Et, dans la chambre, il n'y avait que le petit bruit des
360 ciseaux. Marguerite, vaincue par la fatigue, devait s'être as-
soupie. À deux reprises, Simoneau se leva. L'idée abominable
qu'il profitait du sommeil de Marguerite, pour effleurer des
lèvres ses cheveux, me torturait. Je ne connaissais pas cet
homme, et je sentais qu'il aimait ma femme. Un rire de la
365 petite Dédé acheva de m'irriter.

— Pourquoi ris-tu, imbécile ? lui demanda sa mère. Je vais
te mettre sur le carré[1]... Voyons, réponds, qu'est-ce qui te fait
rire ?

L'enfant balbutiait. Elle n'avait pas ri, elle avait toussé. Moi,
370 je m'imaginais qu'elle devait avoir vu Simoneau se pencher
vers Marguerite, et que cela lui paraissait drôle.

La lampe était allumée, lorsqu'on frappa.

— Ah ! voici le médecin, dit la vieille femme.

C'était le médecin, en effet. Il ne s'excusa même pas de venir
375 si tard. Sans doute, il avait eu bien des étages à monter, dans
la journée. Comme la lampe éclairait très faiblement la
chambre, il demanda :

— Le corps est ici ?

— Oui, monsieur, répondit Simoneau.

---

1. *carré* : palier (*Dictionnaire de l'Académie française*, 6ᵉ édition, 1832-1835).

380   Marguerite s'était levée, frissonnante. Mme Gabin avait mis
Dédé sur le palier, parce qu'un enfant n'a pas besoin d'assis-
ter à ça ; et elle s'efforçait d'entraîner ma femme vers la fenêtre,
afin de lui épargner un tel spectacle.

Pourtant, le médecin venait de s'approcher d'un pas rapide.
385   Je le devinais fatigué, pressé, impatienté. M'avait-il touché la
main ? Avait-il posé la sienne sur mon cœur ? Je ne saurais le
dire. Mais il me sembla qu'il s'était simplement penché d'un
air indifférent.

— Voulez-vous que je prenne la lampe pour vous éclairer ?
390   offrit Simoneau avec obligeance.

— Non, inutile, dit le médecin tranquillement.

Comment ! inutile ! Cet homme avait ma vie entre les mains,
et il jugeait inutile de procéder à un examen attentif. Mais je
n'étais pas mort ! j'aurais voulu crier que je n'étais pas mort !
395   — À quelle heure est-il mort ? reprit-il.

— À six heures du matin, répondit Simoneau.

Une furieuse révolte montait en moi, dans les liens terribles
qui me liaient. Oh ! ne pouvoir parler ne pouvoir remuer un
membre !
400   Le médecin ajouta :

— Ce temps lourd est mauvais… Rien n'est fatigant comme
ces premières journées de printemps.

Et il s'éloigna. C'était ma vie qui s'en allait. Des cris, des
larmes, des injures m'étouffaient, déchiraient ma gorge
405   convulsée, où ne passait plus un souffle. Ah ! le misérable, dont
l'habitude professionnelle avait fait une machine, et qui venait au lit des morts avec l'idée d'une simple formalité à rem-
plir ! Il ne savait donc rien, cet homme ! Toute sa science était
ajonc menteuse, puisqu'il ne pouvait d'un coup d'œil dis-
410   tinguer la vie de la mort ! Et il s'en allait, et il s'en allait !

— Bonsoir, monsieur, dit Simoneau.

Il y eut un silence. Le médecin devait s'incliner devant
Marguerite, qui était revenue, pendant que Mme Gabin

fermait la fenêtre. Puis, il sortit de la chambre, j'entendis ses
415 pas qui descendaient l'escalier.

Allons, c'était fini, j'étais condamné. Mon dernier espoir dis-
paraissait avec cet homme. Si je ne m'éveillais pas avant le lendemain onze heures, on m'enterrait vivant. Et cette pensée était
si effroyable, que je perdis conscience de ce qui m'entourait.
420 Ce fut comme un évanouissement dans la mort elle-même.
Le dernier bruit qui me frappa fut le petit bruit des ciseaux
de Mme Gabin et de Dédé. La veillée funèbre commençait.
Personne ne parlait plus. Marguerite avait refusé de dormir
dans la chambre de la voisine. Elle était là, couchée à demi
425 au fond du fauteuil, avec son beau visage pâle, ses yeux clos
dont les cils restaient trempés de larmes ; tandis que, silencieux dans l'ombre, assis devant elle, Simoneau la regardait.

3

Je ne puis dire quelle fut mon agonie, pendant la matinée
du lendemain. Cela m'est demeuré comme un rêve horrible,
430 où mes sensations étaient si singulières, si troublées, qu'il me
serait difficile de les noter exactement. Ce qui rendit ma tor-
ture affreuse, c'était que j'espérais toujours un brusque réveil.
Et, à mesure que l'heure du convoi approchait, l'épouvante
m'étranglait davantage.
435 Ce fut vers le matin seulement que j'eus de nouveau
conscience des personnes et des choses qui m'entouraient.
Un grincement de l'espagnolette me tira de ma somnolence.
Mme Gabin avait ouvert la fenêtre. Il devait être environ sept
heures, car j'entendais des cris de marchands, dans la rue, la
440 voix grêle d'une gamine qui vendait du mouron, une autre
voix enrouée criant des carottes. Ce réveil bruyant de Paris
me calma d'abord : il me semblait impossible qu'on m'enfouît
dans la terre, au milieu de toute cette vie. Un souvenir ache-
vait de me rassurer. Je me rappelais avoir vu un cas pareil au
445 mien, lorsque j'étais employé à l'hôpital de Guérande. Un

homme y avait ainsi dormi pendant vingt-huit heures, son sommeil était même si profond, que les médecins hésitaient à se prononcer ; puis, cet homme s'était assis sur son séant, et il avait pu se lever tout de suite. Moi, il y avait déjà vingt-
450   cinq heures que je dormais. Si je m'éveillais vers dix heures, il serait temps encore.

Je tâchai de me rendre compte des personnes qui se trouvaient dans la chambre, et de ce qu'on y faisait. La petite Dédé devait jouer sur le carré, car la porte s'étant ouverte, un rire
455   d'enfant vint du dehors. Sans doute, Simoneau n'était plus là : aucun bruit ne me révélait sa présence. Les savates de Mme Gabin traînaient seules sur le carreau. On parla enfin.

— Ma chère, dit la vieille, vous avez tort de ne pas en prendre pendant qu'il est chaud, ça vous soutiendrait.
460   Elle s'adressait à Marguerite, et le léger égouttement du filtre, sur la cheminée, m'apprit qu'elle était en train de faire du café.

— Ce n'est pas pour dire, continua-t-elle, mais j'avais besoin de ça… À mon âge, ça ne vaut rien de veiller¹. Et c'est si triste, la nuit, quand il y a un malheur dans une maison…
465   Prenez donc du café, ma chère, une larme seulement.

Et elle força Marguerite à en boire une tasse.

— Hein ? c'est chaud, ça vous remet. Il vous faut des forces pour aller jusqu'au bout de la journée… Maintenant, si vous étiez bien sage, vous passeriez dans ma chambre, et vous
470   attendrez là.

— Non, je veux rester, répondit Marguerite résolument.

Sa voix, que je n'avais plus entendue depuis la veille, me toucha beaucoup. Elle était changée, brisée de douleur. Ah ! chère femme ! je la sentais près de moi, comme une conso-
475   lation dernière. Je savais qu'elle ne me quittait pas des yeux, qu'elle me pleurait de toutes les larmes de son cœur.

---

1. *veiller* : passer une veillée funèbre, c'est-à-dire passer la nuit auprès d'un mort.

Mais les minutes passaient. Il y eut, à la porte, un bruit que je ne m'expliquai pas d'abord. On aurait dit l'emménagement d'un meuble qui se heurtait contre les murs de l'escalier trop
480 étroit. Puis, je compris, en entendant de nouveau les larmes de Marguerite. C'était la bière.

— Vous venez trop tôt, dit Mme Gabin d'un air de mauvaise humeur. Posez ça derrière le lit.

Quelle heure était-il donc ? Neuf heures peut-être. Ainsi,
485 cette bière était déjà là. Et je la voyais dans la nuit épaisse, toute neuve, avec ses planches à peine rabotées. Mon Dieu ! est-ce que tout allait finir ? est-ce qu'on m'emporterait dans cette boîte, que je sentais à mes pieds ?

J'eus pourtant une suprême joie. Marguerite, malgré sa fai-
490 blesse, voulut me donner les derniers soins. Ce fut elle qui, aidée de la vieille femme, m'habilla, avec une tendresse de sœur et d'épouse. Je sentais que j'étais une fois encore entre ses bras, à chaque vêtement qu'elle me passait. Elle s'arrêtait, succombant sous l'émotion ; elle m'étreignait, elle me baignait
495 de ses pleurs. J'aurais voulu pouvoir lui rendre son étreinte, en lui criant : « Je vis ! » et je restais impuissant, je devais m'abandonner comme une masse inerte.

— Vous avez tort, tout ça est perdu, répétait Mme Gabin.

Marguerite répondait de sa voix entrecoupée :
500 — Laissez-moi, je veux lui mettre ce que nous avons de plus beau.

Je compris qu'elle m'habillait comme pour le jour de nos noces. J'avais encore ces vêtements, dont je comptais ne me servir à Paris que les grands jours. Puis, elle retomba dans le
505 fauteuil, épuisée par l'effort qu'elle venait de faire.

Alors, tout d'un coup, Simoneau parla. Sans doute, il venait d'entrer.

— Ils sont en bas, murmura-t-il.

— Bon, ce n'est pas trop tôt, répondit Mme Gabin, en bais-
510 sant également la voix. Dites-leur de monter, il faut en finir.

— C'est que j'ai peur du désespoir de cette pauvre femme.
La vieille parut réfléchir. Elle reprit :

— Écoutez, monsieur Simoneau, vous allez l'emmener de
force dans ma chambre… Je ne veux pas qu'elle reste ici. C'est
515 un service à lui rendre… Pendant ce temps, en un tour de
main, ce sera bâclé.

Ces paroles me frappèrent au cœur. Et que devins-je,
lorsque j'entendis la lutte affreuse qui s'engagea ! Simoneau
s'était approché de Marguerite, en la suppliant de ne pas
520 demeurer dans la pièce.

— Par pitié, implorait-il, venez avec moi, épargnez-vous
une douleur inutile.

— Non, non, répétait ma femme, je resterai, je veux rester jusqu'au dernier moment. Songez donc que je n'ai que lui
525 au monde, et que, lorsqu'il ne sera plus là, je serai seule.

Cependant, près du lit, Mme Gabin soufflait à l'oreille du
jeune homme :

— Marchez donc, empoignez-la, emportez-la dans vos bras.

Est-ce que ce Simoneau allait prendre Marguerite et l'em-
530 porter ainsi ? Tout de suite, elle cria. D'un élan furieux, je voulus me mettre debout. Mais les ressorts de ma chair étaient
brisés. Et je restais si rigide, que je ne pouvais même soule-
ver les paupières pour voir ce qui se passait là, devant moi.
La lutte se prolongeait, ma femme s'accrochait aux meubles,
535 en répétant :

— Oh ! de grâce, de grâce, monsieur… Lâchez-moi, je ne
veux pas.

Il avait dû la saisir dans ses bras vigoureux, car elle ne poussait plus que des plaintes d'enfant. Il l'emporta, les sanglots
540 se perdirent, et je m'imaginais les voir, lui grand et solide, l'em-
menant sur sa poitrine, à son cou, et elle, éplorée, brisée,
s'abandonnant, le suivant désormais partout où il voudrait la
conduire.

— Fichtre ! ça n'a pas été sans peine ! murmura Mme Gabin.
545 Allons, houp ! maintenant que le plancher est débarrassé !

Dans la colère jalouse qui m'affolait, je regardais cet enlè-
vement comme un rapt abominable. Je ne voyais plus
Marguerite depuis la veille, mais je l'entendais encore.
Maintenant, c'était fini ; on venait de me la prendre ; un homme
550 l'avait ravie, avant même que je fusse dans la terre. Et il était
avec elle, derrière la cloison, seul à la consoler, à l'embrasser
peut-être !

La porte s'était ouverte de nouveau, des pas lourds
marchaient dans la pièce.

555 — Dépêchons, dépêchons, répétait Mme Gabin. Cette
petite dame n'aurait qu'à revenir.

Elle parlait à des gens inconnus et qui ne lui répondaient
que par des grognements.

— Moi, vous comprenez, je ne suis pas une parente, je ne
560 suis qu'une voisine. Je n'ai rien à gagner dans tout ça. C'est
par pure bonté de cœur que je m'occupe de leurs affaires. Et
ce n'est déjà pas si gai… Oui, oui, j'ai passé la nuit. Même qu'il
ne faisait guère chaud, vers quatre heures. Enfin, j'ai toujours
été bête, je suis trop bonne.

565 À ce moment, on tira la bière au milieu de la chambre, et
je compris. Allons, j'étais condamné, puisque le réveil ne
venait pas. Mes idées perdaient de leur netteté, tout roulait en
moi dans une fumée noire ; et j'éprouvais une telle lassitude,
que ce fut comme un soulagement, de ne plus compter sur
570 rien.

— On n'a pas épargné le bois, dit la voix enrouée d'un
croque-mort. La boîte est trop longue.

— Eh bien ! il y sera à l'aise, ajouta un autre en s'égayant.

Je n'étais pas lourd, et ils s'en félicitaient, car ils avaient trois
575 étages à descendre. Comme ils m'empoignaient par les
épaules et par les pieds, Mme Gabin tout d'un coup se fâcha.

— Sacrée gamine ! cria-t-elle, il faut qu'elle mette son nez
partout… Attends, je vais te faire regarder par les fentes.

C'était Dédé qui entrebâillait la porte et passait sa tête ébou-
580 riffée. Elle voulait voir mettre le monsieur dans la boîte. Deux

claques vigoureuses retentirent, suivies d'une explosion de sanglots. Et quand la mère fut rentrée, elle causa de sa fille avec
les hommes qui m'arrangeaient dans la bière.

— Elle a dix ans. C'est un bon sujet ; mais elle est curieuse...
585 Je ne la bats pas tous les jours, seulement, il faut qu'elle
obéisse.

— Oh ! vous savez, dit un des hommes, toutes les gamines
sont comme ça... Lorsqu'il y a un mort quelque part, elles
sont toujours à tourner autour.

590 J'étais allongé commodément, et j'aurais pu croire que je
me trouvais encore sur le lit, sans une gêne de mon bras
gauche, qui était un peu serré contre une planche. Ainsi qu'ils
le disaient, je tenais très bien là-dedans, grâce à ma petite taille.

— Attendez, s'écria Mme Gabin, j'ai promis à sa femme de
595 lui mettre un oreiller sous la tête.

Mais les hommes étaient pressés, ils fourrèrent l'oreiller en
me brutalisant. Un d'eux cherchait partout le marteau, avec
des jurons. On l'avait oublié en bas, et il fallut descendre. Le
couvercle fut posé, je ressentis un ébranlement de tout mon
600 corps, lorsque deux coups de marteau enfoncèrent le premier
clou. C'en était fait, j'avais vécu. Puis, les clous entrèrent un
à un, rapidement, tandis que le marteau sonnait en cadence.
On aurait dit des emballeurs clouant une boîte de fruits secs,
avec leur adresse insouciante. Dès lors, les bruits ne m'arri-
605 vèrent plus qu'assourdis et prolongés, résonnant d'une
étrange manière, comme si le cercueil de sapin s'était trans-
formé en une grande caisse d'harmonie[1]. La dernière parole
qui frappa mes oreilles, dans cette chambre de la rue
Dauphine, ce fut cette phrase de Mme Gabin :
610 — Descendez doucement, et méfiez-vous de la rampe au
second, elle ne tient plus.

On m'emportait, j'avais la sensation d'être roulé dans une
mer houleuse. D'ailleurs, à partir de ce moment, mes souvenirs

---

1. *caisse d'harmonie* : caisse de résonance d'un instrument de musique, souvent faite de
pin.

sont très vagues. Je me rappelle pourtant que l'unique préoccupation qui me tenait encore, préoccupation imbécile et comme machinale, était de me rendre compte de la route que nous prenions pour aller au cimetière. Je ne connaissais pas une rue de Paris, j'ignorais la position exacte des grands cimetières, dont on avait parfois prononcé les noms devant moi, et cela ne m'empêchait pas de concentrer les derniers efforts de mon intelligence, afin de deviner si nous tournions à droite ou à gauche. Le corbillard me cahotait sur les pavés. Autour de moi, le roulement des voitures, le piétinement des passants faisaient une clameur confuse que développait la sonorité du cercueil. D'abord, je suivis l'itinéraire avec assez de netteté. Puis, il y eut une station, on me promena, et je compris que nous étions à l'église. Mais, quand le corbillard s'ébranla de nouveau, je perdis toute conscience des lieux que nous traversions. Une volée de cloches m'avertit que nous passions près d'une église ; un roulement plus doux et continu me fit croire que nous longions une promenade. J'étais comme un condamné mené au lieu du supplice, hébété, attendant le coup suprême qui ne venait pas.

On s'arrêta, on me tira du corbillard. Et ce fut bâclé tout de suite. Les bruits avaient cessé, je sentais que j'étais dans un lieu désert, sous des arbres, avec le large ciel sur ma tête. Sans doute, quelques personnes suivaient le convoi, les locataires de l'hôtel, Simoneau et d'autres, car des chuchotements arrivaient jusqu'à moi. Il y eut une psalmodie, un prêtre balbutiait du latin. On piétina deux minutes. Puis, brusquement, je sentis que je m'enfonçais ; tandis que des cordes frottaient comme des archets, contre les angles du cercueil, qui rendait un son de contrebasse fêlée. C'était la fin. Un choc terrible, pareil au retentissement d'un coup de canon, éclata un peu à gauche de ma tête ; un second choc se produisit à mes pieds ; un autre, plus violent encore, me tomba sur le ventre, si sonore, que je crus la bière fendue en deux. Et je m'évanouis.

4

Combien de temps restai-je ainsi? je ne saurais le dire. Une
650 éternité et une seconde ont la même durée dans le néant. Je
n'étais plus. Peu à peu, confusément, la conscience d'être me
revint. Je dormais toujours, mais je me mis à rêver. Un cauchemar se détacha du fond noir qui barrait mon horizon. Et
ce rêve que je faisais était une imagination[1] étrange, qui m'avait
655 souvent tourmenté autrefois, les yeux ouverts, lorsque, avec
ma nature prédisposée aux inventions horribles, je goûtais
l'atroce plaisir de me créer des catastrophes.

Je m'imaginais donc que ma femme m'attendait quelque
part, à Guérande, je crois, et que j'avais pris le chemin de fer
660 pour aller la rejoindre. Comme le train passait sous un
tunnel, tout à coup, un effroyable bruit roulait avec un fra-
cas de tonnerre. C'était un double écroulement qui venait de
se produire. Notre train n'avait pas reçu une pierre, les wagons restaient intacts; seulement, aux deux bouts du tunnel,
665 devant et derrière nous, la voûte s'était effondrée, et nous nous
trouvions ainsi au centre d'une montagne, murés par des blocs
de rocher. Alors commençait une longue et affreuse agonie.
Aucun espoir de secours; il fallait un mois pour déblayer le
tunnel; encore ce travail demandait-il des précautions infi-
670 nies, des machines puissantes. Nous étions prisonniers dans
une sorte de cave sans issue. Notre mort à tous n'était plus
qu'une question d'heures.

Souvent, je le répète, mon imagination avait travaillé sur
cette donnée terrible. Je variais le drame à l'infini. J'avais pour
675 acteurs des hommes, des femmes, des enfants, plus de cent
personnes, toute une foule qui me fournissait sans cesse de
nouveaux épisodes. Il se trouvait bien quelques provisions
dans le train; mais la nourriture manquait vite, et sans aller

---

1. *imagination*: fantasme.

jusqu'à se manger entre eux, les misérables affamés se disputaient férocement le dernier morceau de pain. C'était un
vieillard qu'on repoussait à coups de poing et qui agonisait ;
c'était une mère qui se battait comme une louve, pour défendre
les trois ou quatre bouchées réservées à son enfant. Dans mon
wagon, deux jeunes mariés râlaient aux bras l'un de l'autre,
et ils n'espéraient plus, ils ne bougeaient plus. D'ailleurs, la
voie était libre, les gens descendaient, rôdaient le long du train,
comme des bêtes lâchées, en quête d'une proie. Toutes les
classes se mêlaient, un homme très riche, un haut fonction-
naire, disait-on, pleurait au cou d'un ouvrier, en le tutoyant.
Dès les premières heures, les lampes s'étaient épuisées, les feux
de la locomotive avaient fini par s'éteindre. Quand on passait d'un wagon à un autre, on tâtait les roues de la main pour
ne pas se cogner, et l'on arrivait ainsi à la locomotive, que l'on
reconnaissait à sa bielle froide, à ses énormes flancs endormis, force inutile, muette et immobile dans l'ombre. Rien
n'était plus effrayant que ce train, ainsi muré tout entier sous
terre, comme enterré vivant, avec ses voyageurs, qui mouraient
un à un.

Je me complaisais, je descendais dans l'horreur des
moindres détails. Des hurlements traversaient les ténèbres.
Tout d'un coup, un voisin qu'on ne savait pas là, qu'on ne
voyait pas, s'abattait contre votre épaule. Mais, cette fois, ce
dont je souffrais surtout, c'était du froid et du manque d'air.
Jamais je n'avais eu si froid ; un manteau de neige me tombait sur les épaules, une humidité lourde pleuvait sur mon
crâne. Et j'étouffais avec cela, il me semblait que la voûte de
rocher croulait sur ma poitrine, que toute la montagne pesait
et m'écrasait. Cependant, un cri de délivrance avait retenti.
Depuis longtemps, nous nous imaginions entendre au loin un
bruit sourd, et nous nous bercions de l'espoir qu'on travaillait
près de nous. Le salut n'arrivait point de là pourtant. Un de
nous venait de découvrir un puits dans le tunnel ; et nous cou-
rions tous, nous allions voir ce puits d'air, en haut duquel on

apercevait une tache bleue, grande comme un pain à
715 cacheter[1]. Oh! quelle joie, cette tache bleue! C'était le ciel,
nous nous grandissions vers elle pour respirer, nous distin-
guions nettement des points noirs qui s'agitaient, sans doute
des ouvriers en train d'établir un treuil, afin d'opérer notre
sauvetage. Une clameur furieuse: « Sauvés! sauvés! » sortait
720 de toutes les bouches, tandis que des bras tremblants se
levaient vers la petite tache d'un bleu pâle.

Ce fut la violence de cette clameur qui m'éveilla. Où étais-
je? Encore dans le tunnel sans doute. Je me trouvais couché
tout de mon long, et je sentais, à droite et à gauche, de dures
725 parois qui me serraient les flancs. Je voulus me lever; mais
je me cognai violemment le crâne. Le roc m'enveloppait donc
de toutes parts? Et la tache bleue avait disparu, le ciel n'était
plus là, même lointain. J'étouffais toujours, je claquais des
dents, pris d'un frisson.

730 Brusquement, je me souvins. Une horreur souleva mes cheveux, je sentis l'affreuse vérité couler en moi, des pieds à la
tête, comme une glace. Étais-je sorti enfin de cette syncope,
qui m'avait frappé pendant de longues heures d'une rigidité
de cadavre? Oui, je remuais, je promenais les mains le long
735 des planches du cercueil. Une dernière épreuve me restait à
faire: j'ouvris la bouche, je parlai, appelant Marguerite, ins-
tinctivement. Mais j'avais hurlé, et ma voix, dans cette boîte
de sapin, avait pris un son rauque si effrayant, que je m'épou-
vantai moi-même. Mon Dieu! c'était donc vrai? je pouvais
740 marcher, crier que je vivais, et ma voix ne serait pas entendue, et j'étais enfermé, écrasé sous la terre!

Je fis un effort suprême pour me calmer et réfléchir. N'y
avait-il aucun moyen de sortir de là? Mon rêve recommen-
çait, je n'avais pas encore le cerveau bien solide, je mêlais l'ima-
745 gination du puits d'air et de sa tache de ciel, avec la réalité

---

1. *pain à cacheter*: petit morceau de pâte sèche qui remplaçait la cire et servait à cacheter
des enveloppes.

de la fosse où je suffoquais. Les yeux démesurément ouverts, je regardais les ténèbres. Peut-être apercevrais-je un trou, une fente, une goutte de lumière ! Mais des étincelles de jeu passaient seules dans la nuit, des clartés rouges s'élargissaient et s'évanouissaient. Rien, un gouffre noir, insondable. Puis, la lucidité me revenait, j'écartais ce cauchemar imbécile. Il me fallait toute ma tête, si je voulais tenter le salut.

D'abord, le grand danger me parut être dans l'étouffement qui augmentait. Sans doute, j'avais pu rester si longtemps privé d'air ; grâce à la syncope qui suspendait en moi les fonctions de l'existence ; mais, maintenant que mon cœur battait, que mes poumons soufflaient, j'allais mourir d'asphyxie, si je ne me dégageais au plus tôt. Je souffrais également du froid, et je craignais de me laisser envahir par cet engourdissement mortel des hommes qui tombent dans la neige, pour ne plus se relever.

Tout en me répétant qu'il me fallait du calme, je sentais des bouffées de folie monter à mon crâne. Alors, je m'exhortais, essayant de me rappeler ce que je savais sur la façon dont on enterre. Sans doute, j'étais dans une concession de cinq ans ; cela m'ôtait un espoir car j'avais remarqué autrefois, à Nantes, que les tranchées de la fosse commune laissaient passer dans leur remblaîment[1] continu, les pieds des dernières bières enfouies. Il m'aurait suffi alors de briser une planche pour m'échapper ; tandis que, si je me trouvais dans un trou comblé entièrement, j'avais sur moi toute une couche épaisse de terre, qui allait être un terrible obstacle. N'avais-je pas entendu dire qu'à Paris on enterrait à six pieds de profondeur ? Comment percer cette masse énorme ? Si même je parvenais à fendre le couvercle, la terre n'allait-elle pas entrer, glisser comme un sable fin, m'emplir les yeux et la bouche ? Et ce serait encore la mort, une mort abominable, une noyade dans de la boue.

---

1. *remblaîment* : remblai, c'est-à-dire levée de terre rapportée.

Cependant, je tâtai soigneusement autour de moi. La bière
780 était grande, je remuais les bras avec facilité. Dans le couvercle,
je ne sentis aucune fente. À droite et à gauche, les planches
étaient mal rabotées, mais résistantes et solides. Je repliai mon
bras le long de ma poitrine, pour remonter vers la tête. Là,
je découvris, dans la planche du bout, un nœud qui cédait
785 légèrement sous la pression ; je travaillai avec la plus grande
peine, je finis par chasser le nœud, et de l'autre côté, en en-
fonçant le doigt, je reconnus la terre, une terre grasse, argi-
leuse et mouillée. Mais cela ne m'avançait à rien. Je regrettai
même d'avoir ôté ce nœud, comme si la terre avait pu entrer.
790 Une autre expérience m'occupa un instant : je tapai autour du
cercueil, afin de savoir si, par hasard il n'y aurait pas
quelque vide, à droite ou à gauche. Partout, le son fut le même.
Comme je donnais aussi de légers coups de pied, il me sembla pourtant que le son était plus clair au bout. Peut-être
795 n'était-ce qu'un effet de la sonorité du bois.

Alors, je commençai par des poussées légères, les bras en
avant, avec les poings. Le bois résista. J'employai ensuite les
genoux, m'arc-boutant sur les pieds et sur les reins. Il n'y eut
pas un craquement. Je finis par donner toute ma force, je pous-
800 sai du corps entier, si violemment, que mes os meurtris
criaient. Et ce fut à ce moment que je devins fou.

Jusque-là, j'avais résisté au vertige, aux souffles de rage qui
montaient par instants en moi, comme une fumée d'ivresse.
Surtout, je réprimais les cris, car je comprenais que, si je criais,
805 j'étais perdu. Tout d'un coup, je me mis à crier, à hurler. Cela
était plus fort que moi, les hurlements sortaient de ma gorge
qui se dégonflait. J'appelai au secours d'une voix que je ne me
connaissais pas, m'affolant davantage à chaque nouvel appel,
criant que je ne voulais pas mourir. Et j'égratignais le bois avec
810 mes ongles, je me tordais dans les convulsions d'un loup enfermé. Combien de temps dura cette crise ? je l'ignore, mais
je sens encore l'implacable dureté du cercueil où je me dé-
battais, j'entends encore la tempête de cris et de sanglots dont

j'emplissais ces quatre planches. Dans une dernière lueur de
815 raison, j'aurais voulu me retenir et je ne pouvais pas.

Un grand accablement suivit. J'attendais la mort, au milieu
d'une somnolence douloureuse. Ce cercueil était de pierre ;
jamais je ne parviendrais à le fendre ; et cette certitude de ma
défaite me laissait inerte, sans courage pour tenter un nou-
820 vel effort. Une autre souffrance, la faim, s'était jointe au froid
et à l'asphyxie. Je défaillais. Bientôt ce supplice fut intolérable.
Avec mon doigt, je tâchai d'attirer des pincées de terre, par
le nœud que j'avais enfoncé, et je mangeai cette terre, ce qui
redoubla mon tourment. Je mordais mes bras, n'osant aller
825 jusqu'au sang, tenté par ma chair, suçant ma peau avec
l'envie d'y enfoncer les dents.

Ah ! comme je désirais la mort, à cette heure ! Toute ma vie,
j'avais tremblé devant le néant ; et je le voulais, je le réclamais,
jamais il ne serait assez noir. Quel enfantillage que de redouter
830 ce sommeil sans rêve, cette éternité de silence et de ténèbres !
La mort n'était bonne que parce qu'elle supprimait l'être d'un
coup, pour toujours. Oh ! dormir comme les pierres, rentrer
dans l'argile, n'être plus !

Mes mains tâtonnantes continuaient machinalement à se
835 promener contre le bois. Soudain, je me piquai au pouce
gauche, et la légère douleur me tira de mon engourdissement.
Qu'était-ce donc ? Je cherchai de nouveau, je reconnus un clou,
un clou que les croque-morts avaient enfoncé de travers, et
qui n'avait pas mordu dans le bord du cercueil. Il était très
840 long, très pointu. La tête tenait dans le couvercle, mais je sentis qu'il remuait. À partir de cet instant, je n'eus plus qu'une
idée : avoir ce clou. Je passai ma main droite sur mon ventre,
je commençai à l'ébranler. Il ne cédait guère, c'était un gros
travail. Je changeais souvent de main, car la main gauche, mal
845 placée, se fatiguait vite. Tandis que je m'acharnais ainsi, tout
un plan s'était développé dans ma tête. Ce clou devenait le
salut. Il me le fallait quand même. Mais serait-il temps encore ?
La faim me torturait, je dus m'arrêter, en proie à un vertige

qui me laissait les mains molles, l'esprit vacillant. J'avais sucé
850 les gouttes qui coulèrent de la piqûre de mon pouce. Alors,
je me mordis le bras, je bus mon sang, éperonné par la douleur, ranimé par ce vin tiède et âcre qui mouillait ma
bouche. Et je me remis au clou des deux mains, je réussis à
l'arracher.

855   Dès ce moment, je crus au succès. Mon plan était simple.
J'enfonçai la pointe du clou dans le couvercle et je traçai une
ligne droite, la plus longue possible, où je promenai le clou,
de façon à pratiquer une entaille. Mes mains se roidissaient[1],
je m'entêtais furieusement. Quand je pensai avoir assez
860 entamé le bois, j'eus l'idée de me retourner, de me mettre sur
le ventre, puis, en me soulevant sur les genoux et sur les
coudes, de pousser des reins. Mais, si le couvercle craqua, il
ne se fendit pas encore. L'entaille n'était pas assez profonde.
Je dus me replacer sur le dos et reprendre la besogne, ce qui
865 me coûta beaucoup de peine. Enfin, je tentai un nouvel
effort, et cette fois le couvercle se brisa, d'un bout à l'autre.

Certes, je n'étais pas sauvé, mais l'espérance m'inondait le
cœur. J'avais cessé de pousser, je ne bougeais plus, de peur
de déterminer quelque éboulement qui m'aurait enseveli. Mon
870 projet était de me servir du couvercle comme d'un abri,
tandis que je tâcherais de pratiquer une sorte de puits dans
l'argile. Malheureusement, ce travail présentait de grandes
difficultés: les mottes épaisses qui se détachaient embarras-
saient les planches que je ne pouvais manœuvrer ; jamais je
875 n'arriverais au sol, déjà des éboulements partiels me pliaient
l'échine et m'enfonçaient la face dans la terre. La peur me reprenait, lorsqu'en m'allongeant pour trouver un point d'appui, je crus sentir que la planche qui fermait la bière, aux pieds,
cédait sous la pression. Je tapai alors vigoureusement du talon,
880 songeant qu'il pouvait y avoir, à cet endroit, une fosse qu'on
était en train de creuser.

---

1. *roidissaient* : orthographe ancienne du verbe « raidir ».

Tout d'un coup, mes pieds enfoncèrent dans le vide. La prévision était juste : une fosse nouvellement ouverte se trouvait là. Je n'eus qu'une mince cloison de terre à trouer pour rouler dans cette fosse. Grand Dieu ! j'étais sauvé !

Un instant, je restai sur le dos, les yeux en l'air au fond du trou. Il faisait nuit. Au ciel, les étoiles luisaient dans un bleuissement de velours. Par moments, un vent qui se levait m'apportait une tiédeur de printemps, une odeur d'arbres. Grand Dieu ! j'étais sauvé, je respirais, j'avais chaud, et je pleurais, et je balbutiais, les mains dévotement tendues vers l'espace. Oh ! que c'était bon de vivre !

5

Ma première pensée fut de me rendre chez le gardien du cimetière, pour qu'il me fît reconduire chez moi. Mais des idées, vagues encore, m'arrêtèrent. J'allais effrayer tout le monde. Pourquoi me presser, lorsque j'étais le maître de la situation ? Je me tâtai les membres, je n'avais que la légère morsure de mes dents au bras gauche ; et la petite fièvre qui en résultait, m'excitait, me donnait une force inespérée. Certes, je pourrais marcher sans aide.

Alors, je pris mon temps. Toutes sortes de rêveries confuses me traversaient le cerveau. J'avais senti près de moi, dans la fosse, les outils des fossoyeurs, et j'éprouvai le besoin de réparer le dégât que je venais de faire, de reboucher le trou, pour qu'on ne pût s'apercevoir de ma résurrection. À ce moment, je n'avais aucune idée nette ; je trouvais seulement inutile de publier l'aventure, éprouvant une honte à vivre, lorsque le monde entier me croyait mort. En une demi-heure de travail, je parvins à effacer toute trace. Et je sautai hors de la fosse.

Quelle belle nuit ! Un silence profond régnait dans le cimetière. Les arbres noirs faisaient des ombres immobiles, au milieu de la blancheur des tombes. Comme je cherchais à

915 m'orienter, je remarquai que toute une moitié du ciel flambait d'un reflet d'incendie. Paris était là. Je me dirigeai de ce
côté, filant le long d'une avenue, dans l'obscurité des
branches. Mais, au bout de cinquante pas, je dus m'arrêter,
essoufflé déjà. Et je m'assis sur un banc de pierre. Alors seulement je m'examinai: j'étais complètement habillé, chaussé
920 même, et seul un chapeau me manquait. Combien je remerciai
ma chère Marguerite du pieux sentiment qui l'avait fait me
vêtir! Le brusque souvenir de Marguerite me remit debout.
Je voulais la voir.

Au bout de l'avenue, une muraille m'arrêta. Je montai sur
925 une tombe, et quand je fus pendu au chaperon, de l'autre côté
du mur, je me laissai aller. La chute fut rude. Puis, je marchai
quelques minutes dans une grande rue déserte, qui tournait
autour du cimetière. J'ignorais complètement où j'étais; mais
je me répétais avec l'entêtement de l'idée fixe, que j'allais ren-
930 trer dans Paris et que je saurais bien trouver la rue Dauphine.
Des gens passèrent, je ne les questionnai même pas, saisi de
méfiance, ne voulant me confier à personne. Aujourd'hui, j'ai
conscience qu'une grosse fièvre me secouait déjà et que ma
tête se perdait. Enfin, comme je débouchais sur une grande
935 voie, un éblouissement me prit, et je tombai lourdement sur
le trottoir.

Ici, il y a un trou dans ma vie. Pendant trois semaines, je
demeurai sans connaissance. Quand je m'éveillai enfin, je me
trouvais dans une chambre inconnue. Un homme était là, à
940 me soigner. Il me raconta simplement que, m'ayant ramassé
un matin, sur le boulevard Montparnasse[1], il m'avait gardé
chez lui. C'était un vieux docteur qui n'exerçait plus. Lorsque
je le remerciais, il me répondait avec brusquerie que mon cas
lui avait paru curieux et qu'il avait voulu l'étudier. D'ailleurs,

---

1. *boulevard Montparnasse*: boulevard situé au sud du jardin du Luxembourg; voir la
carte de Paris, p. 18-19.

945 dans les premiers jours de ma convalescence, il ne me
permit de lui adresser aucune question. Plus tard, il ne m'en
fit aucune. Durant huit jours encore, je gardai le lit, la tête
faible, ne cherchant pas même à me souvenir, car le souvenir était une fatigue et un chagrin. Je me sentais plein de
950 pudeur et de crainte. Lorsque je pourrais sortir, j'irais voir.
Peut-être, dans le délire de la fièvre, avais-je laissé échapper
un nom ; mais jamais le médecin ne fit allusion à ce que j'avais
pu dire. Sa charité resta discrète.

Cependant, l'été était venu. Un matin de juin, j'obtins enfin
955 la permission de faire une courte promenade. C'était une matinée superbe, un de ces gais soleils qui donnent une jeunesse
aux rues du vieux Paris. J'allais doucement, questionnant les
promeneurs à chaque carrefour demandant la rue Dauphine.
J'y arrivai, et j'eus de la peine à reconnaître l'hôtel meublé où
960 nous étions descendus. Une peur d'enfant m'agitait. Si je me
présentais brusquement à Marguerite, je craignais de la tuer.
Le mieux peut-être serait de prévenir d'abord cette vieille
femme, Mme Gabin, qui logeait là. Mais il me déplaisait de
mettre quelqu'un entre nous. Je ne m'arrêtais à rien. Tout au
965 fond de moi, il y avait comme un grand vide, comme un
sacrifice accompli depuis longtemps.

La maison était toute jaune de soleil. Je l'avais reconnue à
un restaurant borgne, qui se trouvait au rez-de-chaussée, et
d'où l'on nous montait la nourriture. Je levai les yeux, je
970 regardai la dernière fenêtre du troisième étage, à gauche. Elle
était grande ouverte. Tout à coup, une jeune femme, ébou-
riffée, la camisole de travers, vint s'accouder ; et, derrière elle,
un jeune homme qui la poursuivait, avança la tête et la baisa
au cou. Ce n'était pas Marguerite. Je n'éprouvai aucune
975 surprise. Il me sembla que j'avais rêvé cela et d'autres choses
encore que j'allais apprendre.

Un instant, je demeurai dans la rue, indécis, songeant à
monter et à questionner ces amoureux qui riaient toujours,
au grand soleil. Puis, je pris le parti d'entrer dans le petit

980 restaurant, en bas. Je devais être méconnaissable: ma barbe avait poussé pendant ma fièvre cérébrale, mon visage s'était creusé. Comme je m'asseyais à une table, je vis justement Mme Gabin qui apportait une tasse, pour acheter deux sous de café; et elle se planta devant le comptoir, elle entama avec la dame
985 de l'établissement les commérages de tous les jours. Je tendis l'oreille.

    — Eh bien! demandait la dame, cette pauvre petite du troisième a donc fini par se décider?

    — Que voulez-vous? répondit Mme Gabin, c'était ce qu'elle
990 avait de mieux à faire. M. Simoneau lui témoignait tant d'amitié!... il avait heureusement terminé ses affaires, un gros héritage, et il lui offrait de l'emmener là-bas, dans son pays[1], vivre chez une tante à lui, qui a besoin d'une personne de confiance.

995 La dame du comptoir eut un léger rire. J'avais enfoncé ma face dans un journal, très pâle, les mains tremblantes.

    — Sans doute, ça finira par un mariage, reprit Mme Gabin. Mais je vous jure sur mon honneur que je n'ai rien vu de louche. La petite pleurait son mari, et le jeune homme se
1000 conduisait parfaitement bien... Enfin, ils sont partis hier. Quand elle ne sera plus en deuil, n'est-ce pas? ils feront ce qu'ils voudront.

    À ce moment, la porte qui menait du restaurant dans l'allée s'ouvrit toute grande, et Dédé entra.

1005   — Maman, tu ne montes pas?... J'attends, moi. Viens vite.

    — Tout à l'heure, tu m'embêtes! dit la mère.

L'enfant resta, écoutant les deux femmes, de son air précoce de gamine poussée sur le pavé de Paris.

    — Dame! après tout, expliquait Mme Gabin, le défunt ne
1010 valait pas M. Simoneau... Il ne me revenait guère, ce gringalet.

---

1. *pays*: coin de pays, terre natale.

Toujours à geindre! Et pas le sou! Ah! non, vrai! un mari comme ça, c'est désagréable pour une femme qui a du sang... Tandis que M. Simoneau, un homme riche, fort comme un Turc[1]...

1015 — Oh! interrompit Dédé, moi, je l'ai vu, un jour qu'il se débarbouillait. Il en a, du poil sur les bras!

— Veux-tu t'en aller! cria la vieille en la bousculant. Tu fourres toujours ton nez où il ne doit pas être.

Puis, pour conclure:

1020 — Tenez! l'autre a bien fait de mourir. C'est une fière chance.

Quand je me retrouvai dans la rue, je marchai lentement, les jambes cassées. Pourtant je ne souffrais pas trop. J'eus même un sourire, en apercevant mon ombre au soleil. En effet, 1025 j'étais bien chétif, j'avais eu une singulière idée d'épouser Marguerite. Et je me rappelais ses ennuis à Guérande, ses impatiences, sa vie morne et fatiguée. La chère femme se montrait bonne. Mais je n'avais jamais été son amant[2], c'était un frère qu'elle venait de pleurer. Pourquoi aurais-je de nouveau 1030 dérangé sa vie! un mort n'est pas jaloux. Lorsque je levai la tête, je vis que le jardin du Luxembourg[3] était devant moi. J'y entrai et je m'assis au soleil, rêvant avec une grande douceur. La pensée de Marguerite m'attendrissait, maintenant. Je me l'imaginais en province, dame dans une petite ville, très heu-1035 reuse, très aimée, très fêtée; elle embellissait, elle avait trois garçons et deux filles. Allons! j'étais un brave homme, d'être mort, et je ne ferais certainement pas la bêtise cruelle de ressusciter.

---

1. *fort comme un Turc*: très fort.

2. *amant*: (vieux) personne qui aime et est aimé en retour, sans nécessairement avoir de relations sexuelles avec l'autre.

3. *le jardin du Luxembourg*: jardin situé au sud de la Seine et au nord du boulevard Montparnasse; voir la carte de Paris, p. 18-19.

Depuis ce temps, j'ai beaucoup voyagé, j'ai vécu un peu par-
1040 tout. Je suis un homme médiocre[1], qui a travaillé et mangé
comme tout le monde. La mort ne m'effraie plus ; mais elle
ne semble pas vouloir de moi, à présent que je n'ai aucune
raison de vivre, et je crains qu'elle ne m'oublie.

Paru pour la première fois dans
Le Messager de l'Europe en mars 1879.

---

1. *médiocre* : (vieux) moyen.

Guy de Maupassant (1850-1893)

Maupassant naît en Normandie en 1850 et meurt à Passy en 1893. Ayant comme guide littéraire Flaubert, qu'il admire, Maupassant écrit des textes qui portent certains traits caractéristiques du réalisme et du naturalisme. Il se défend pourtant d'appartenir à quelque mouvement ou école littéraire que ce soit. D'ailleurs, étant donné la popularité de certaines de ses nouvelles, on le reconnaît peut-être même plus, aujourd'hui, comme un auteur de textes fantastiques.

En fait, peu importe la tonalité* qu'il adopte, Maupassant est un véritable maître du récit bref, depuis sa toute première publication, «Boule de suif» (1880). Il en a écrit par la suite près de trois cents. Spécialiste du «non-dit», style elliptique (voir Ellipse*) qu'il maîtrise à la perfection, il sait l'art de décrire un personnage en très peu de mots. Souvent humoristiques, les thèmes de ses textes rejoignent parfois ceux de Zola, exprimant aussi l'angoisse métaphysique et existentielle de la condition humaine.

Plusieurs contes de Maupassant sont célèbres. Les deux proposés ici sont parmi les moins connus et les plus sombres. Dans «La Nuit», l'auteur met en scène un «je» narrateur, phénomène plutôt atypique dans son œuvre. Il ne faut pas pour autant croire à une histoire vécue : la fin est purement fantastique. «Le Saut du Berger» se situe dans un décor enchanteur et changeant, et prend également des allures autobiographiques : sous prétexte d'expliquer le nom d'un lieu visité, le narrateur raconte une histoire particulièrement violente qui souligne les excès du puritanisme clérical. Ici, comme dans la plupart des autres textes de Maupassant, personne n'est épargné par son regard sarcastique et impitoyable.

Le Saut du Berger[1]

De Dieppe au Havre, la côte présente une falaise ininter-
rompue, haute de cent mètres environ, et droite comme une
muraille. De place en place, cette grande ligne de rochers
blancs s'abaisse brusquement, et une petite vallée étroite, aux
5   pentes rapides couvertes de gazon ras et de joncs marins,
descend du plateau cultivé vers une plage de galet où elle
aboutit par un ravin semblable au lit d'un torrent. La nature
a fait ces vallées, les pluies d'orages les ont terminées par ces
ravins, entaillant ce qui restait de falaise, creusant jusqu'à la
10   mer le lit des eaux qui sert de passage aux hommes[2].

Quelquefois un village est blotti dans ces vallons, où
s'engouffre le vent du large.

J'ai passé l'été dans une de ces échancrures de la côte, logé
chez un paysan, dont la maison, tournée vers les flots, me lais-
15   sait voir de ma fenêtre un grand triangle d'eau bleue encadrée
par les pentes vertes du val, et tachée parfois de voiles blanches
passant au loin dans un coup de soleil.

Le chemin allant vers la mer suivait le fond de la gorge, et
brusquement s'enfonçait entre deux parois de marne, deve-
20   nait une sorte d'ornière profonde, avant de déboucher sur une
belle nappe de cailloux roulés, arrondis et polis par la sécu-
laire caresse des vagues.

Ce passage encaissé s'appelle le « Saut du Berger ».

Voici le drame qui l'a fait ainsi nommer :

---

1. Nous avons retenu, pour l'essentiel, le texte de l'édition de Guy de Maupassant, *Contes
et Nouvelles* et *Une vie*, sous la direction de Dominique Frémy, avec notices et notes
de Brigitte Monglond, coll. Bouquins, Paris, Robert Laffont, 1988, tome I, 1152 pages
(p. 360-363), ainsi que le texte de l'édition de Guy de Maupassant, *Contes et Nouvelles*,
sous la direction de Louis Forestier, coll. La Pléiade, Paris, Gallimard, 1974, tome I,
1662 pages (p. 377-380).

2. *le lit des eaux qui sert de passage aux hommes* : le plan d'eau calme qui permet aux bateaux de quitter la rive en toute sécurité.

25   On raconte qu'autrefois ce village était gouverné par un
jeune prêtre austère et violent. Il était sorti du séminaire plein
de haine pour ceux qui vivent selon les lois naturelles et non
suivant celles de son Dieu. D'une inflexible sévérité pour lui-
même, il se montra pour les autres d'une implacable intolé-
30   rance ; une chose surtout le soulevait de colère et de dégoût :
l'amour. S'il eût vécu dans les villes, au milieu des civilisés et
des raffinés qui dissimulent derrière les voiles délicats du
sentiment et de la tendresse, les actes brutaux que la nature
commande, s'il eût confessé dans l'ombre des grandes nefs
35   élégantes les pécheresses parfumées dont les fautes semblent
adoucies par la grâce de la chute et l'enveloppement d'idéal
autour du baiser matériel[1], il n'aurait pas senti peut-être ces
révoltes folles, ces fureurs désordonnées qu'il avait en face de
l'accouplement malpropre des loqueteux dans la boue d'un
40   fossé ou sur la paille d'une grange.
       Il les assimilait aux brutes, ces gens-là qui ne connaissaient
point l'amour, et qui s'unissaient seulement à la façon des
animaux ; et il les haïssait pour la grossièreté de leur âme, pour
le sale assouvissement de leur instinct, pour la gaieté
45   répugnante des vieux lorsqu'ils parlaient encore de ces
immondes plaisirs.
       Peut-être aussi était-il, malgré lui, torturé par l'angoisse
d'appétits inapaisés et sourdement travaillé par la lutte de son
corps révolté contre un esprit despotique et chaste.
50   Mais tout ce qui touchait à la chair l'indignait, le jetait hors
de lui ; et ses sermons violents, pleins de menaces et d'allusions furieuses, faisaient ricaner les filles et les gars qui se cou-
laient des regards en dessous à travers l'église ; tandis que les
fermiers en blouse bleue et les fermières en mante noire se
55   disaient au sortir de la messe, en retournant vers la masure
dont la cheminée jetait sur le ciel un filet de fumée bleue :
« I' ne plaisante pas là-dessus, mo'sieu le curé. »

---

1. *baiser matériel* : amour physique.

Une fois même et pour rien il s'emporta jusqu'à perdre la raison. Il allait voir une malade. Or, dès qu'il eut pénétré dans
60 la cour de la ferme, il aperçut un tas d'enfants, ceux de la maison et ceux des voisins, attroupés autour de la niche du chien. Ils regardaient curieusement quelque chose, immobiles, avec une attention concentrée et muette. Le prêtre s'approcha. C'était la chienne qui mettait bas. Devant sa niche, cinq
65 petits grouillaient autour de la mère qui les léchait avec tendresse, et, au moment où le curé allongeait sa tête par-dessus celles des enfants, un sixième petit toutou parut. Tous les galopins alors, saisis de joie, se mirent à crier en battant des mains : « En v'là encore un, en v'là encore un ! » C'était un jeu
70 pour eux, un jeu naturel où rien d'impur n'entrait ; ils contemplaient cette naissance comme ils auraient regardé tomber des pommes. Mais l'homme à la robe noire fut crispé d'indignation, et la tête perdue, levant son grand parapluie bleu, il se mit à battre les enfants. Ils s'enfuirent à toutes jambes. Alors
75 lui, se trouvant seul en face de la chienne en gésine, frappa sur elle à tour de bras. Enchaînée elle ne pouvait s'enfuir, et comme elle se débattait en gémissant, il monta dessus, l'écrasant sous ses pieds, lui fit mettre au monde un dernier petit, et il l'acheva à coups de talon. Puis il laissa le corps saignant
80 au milieu des nouveau-nés, piaulants[1] et lourds, qui cherchaient déjà les mamelles.

Il faisait de longues courses, solitairement, à grands pas, avec un air sauvage.

Or, comme il revenait d'une promenade éloignée, un soir
85 du mois de mai, et qu'il suivait la falaise en regagnant le village, un grain[2] furieux l'assaillit. Aucune maison en vue, partout la côte nue que l'averse criblait de flèches d'eau.

---

1. *piaulants* : participe présent adjectivé d'usage dialectal, formé à partir du verbe « piauler ».

2. *grain* : « se dit en outre d'une averse, d'une pluie soudaine et de peu de durée » (*Dictionnaire de l'Académie française*, 6ᵉ édition, 1832-1835).

La mer houleuse roulait ses écumes, et les gros nuages sombres accouraient de l'horizon avec des redoublements de pluie. Le vent sifflait, soufflait, couchait les jeunes récoltes, et secouait l'abbé ruisselant, collait à ses jambes la soutane traversée, emplissait de bruit ses oreilles et son cœur exalté de tumulte.

Il se découvrit, tendant son front à l'orage, et peu à peu il approchait de la descente sur le pays. Mais une telle rafale l'atteignit qu'il ne pouvait plus avancer, et soudain, il aperçut auprès d'un parc à moutons la hutte ambulante d'un berger.

C'était un abri, il y courut.

Les chiens fouettés par l'ouragan ne remuèrent pas à son approche ; et il parvint jusqu'à la cabane en bois, sorte de niche perchée sur des roues, que les gardiens des troupeaux traînent, pendant l'été, de pâturage en pâturage.

Au-dessus d'un escabeau, la porte basse était ouverte, laissant voir la paille du dedans.

Le prêtre allait entrer quand il aperçut dans l'ombre un couple amoureux qui s'étreignait. Alors, brusquement, il ferma l'auvent et l'accrocha ; puis, s'attelant aux brancards, courbant sa taille maigre, tirant comme un cheval, et haletant sous sa robe de drap trempée, il courut, entraînant vers la pente rapide, la pente mortelle, les jeunes gens surpris enlacés, qui heurtaient la cloison du poing, croyant sans doute à quelque farce d'un passant.

Lorsqu'il fut au haut de la descente, il lâcha la légère demeure, qui se mit à rouler sur la côte inclinée.

Elle précipitait sa course, emportée follement, allant toujours plus vite, sautant, trébuchant comme une bête, battant la terre de ses brancards.

Un vieux mendiant blotti dans un fossé la vit passer, d'un élan, sur sa tête et il entendit des cris affreux poussés dans le coffre de bois.

Tout à coup elle perdit une roue arrachée d'un choc, s'abattit sur le flanc, et se remit à dévaler comme une boule, comme

une maison déracinée dégringolerait du sommet d'un mont, puis, arrivant au rebord du dernier ravin, elle bondit en
125 décrivant une courbe et, tombant au fond, s'y creva comme un œuf.

On les ramassa l'un et l'autre, les amoureux, broyés, pilés, tous les membres rompus, mais étreints, toujours, les bras liés aux cous dans l'épouvante comme pour le plaisir.

130 Le curé refusa l'entrée de l'église à leurs cadavres et sa bénédiction à leurs cercueils.

Et le dimanche, au prône, il parla avec emportement du septième commandement de Dieu[1], menaçant les amoureux d'un bras vengeur et mystérieux, et citant l'exemple terrible
135 des deux malheureux tués dans leur péché.

Comme il sortait de l'église, deux gendarmes l'arrêtèrent.

Un douanier gîté dans un trou de garde[2] avait vu. Il[3] fut condamné aux travaux forcés.

Et le paysan dont je tiens cette histoire ajouta gravement :
140 — Je l'ai connu, moi, monsieur. C'était un rude homme tout de même, mais il n'aimait pas la bagatelle.

Paru dans *Gil Blas*, le 9 mars 1882,
sous la signature de Maufrigneuse.

---

1. *septième commandement de Dieu* : selon la Bible, Dieu donna à Moïse, sur le mont Sinaï, dix commandements. Le septième s'énonce ainsi : « Tu ne commettras pas d'adultère. » Exode 20 : 14 et Deutéronome 5 : 18.
2. *trou de garde* : poste de surveillance du douanier qui guette les bateaux entrants.
3. *Il* : ce « il » renvoie au curé et non au douanier.

La Nuit[1]

Cauchemar

J'aime la nuit avec passion. Je l'aime comme on aime son pays ou sa maîtresse, d'un amour instinctif, profond, invincible. Je l'aime avec tous mes sens, avec mes yeux qui la voient, avec mon odorat qui la respire, avec mes oreilles qui en
5 écoutent le silence, avec toute ma chair que les ténèbres caressent. Les alouettes chantent dans le soleil, dans l'air bleu, dans l'air chaud, dans l'air léger des matinées claires. Le hibou fuit dans la nuit, tache noire qui passe à travers l'espace noir, et, réjoui, grisé par la noire immensité, il pousse son cri
10 vibrant et sinistre.

Le jour me fatigue et m'ennuie. Il est brutal et bruyant. Je me lève avec peine, je m'habille avec lassitude, je sors avec regret, et chaque pas, chaque mouvement, chaque geste, chaque parole, chaque pensée me fatigue comme si je sou-
15 levais un écrasant fardeau.

Mais quand le soleil baisse, une joie confuse, une joie de tout mon corps m'envahit. Je m'éveille, je m'anime. À mesure que l'ombre grandit, je me sens tout autre, plus jeune, plus fort, plus alerte, plus heureux. Je la regarde s'épaissir, la grande
20 ombre douce tombée du ciel : elle noie la ville, comme une onde insaisissable et impénétrable, elle cache, efface, détruit les couleurs, les formes, étreint les maisons, les êtres, les monuments de son imperceptible toucher.

---

1. Nous avons retenu, pour l'essentiel, le texte de l'édition de Guy de Maupassant, *Contes et Nouvelles* et *Une vie*, sous la direction de Dominique Frémy, avec notices et notes de Brigitte Monglond, coll. Bouquins, Paris, Robert Laffont, 1988, tome I, 1152 pages (p. 599-603), ainsi que le texte de l'édition de Guy de Maupassant, *Contes et Nouvelles*, sous la direction de Louis Forestier, coll. La Pléiade, Paris, Gallimard, 1974, tome I, 1662 pages (p. 944-949).

Night, tiré du portfolio « On Death, Part One, Opus XI » (1889, imprimé
en 1897), Max Klinger (1857-1920). Eau-forte (60 × 44,1 cm).

Antonia Paepcke DuBrul Fund
Photo : Imaging Department
© President and Fellows of Harvard College
2003.126.1 / 62569

Alors j'ai envie de crier de plaisir comme les chouettes, de
25 courir sur les toits comme les chats ; et un impétueux, un
invincible désir d'aimer s'allume dans mes veines.

Je vais, je marche, tantôt dans les faubourgs assombris, tantôt dans les bois voisins de Paris, où j'entends rôder mes sœurs
les bêtes et mes frères les braconniers.

30 Ce qu'on aime avec violence finit toujours par vous tuer.
Mais comment expliquer ce qui m'arrive ? Comment même
faire comprendre que je puisse le raconter ? Je ne sais pas, je
ne sais plus, je sais seulement que cela est. — Voilà.

Donc hier — était-ce hier ? — oui, sans doute, à moins que
35 ce ne soit auparavant, un autre jour, un autre mois, une autre
année, — je ne sais pas. Ce doit être hier pourtant, puisque
le jour ne s'est plus levé, puisque le soleil n'a pas reparu. Mais
depuis quand la nuit dure-t-elle ? Depuis quand ?… Qui le
dira ? qui le saura jamais ?

40 Donc hier, je sortis comme je fais tous les soirs, après mon
dîner. Il faisait très beau, très doux, très chaud. En descendant vers les boulevards[1], je regardais au-dessus de ma tête
le fleuve noir et plein d'étoiles découpé dans le ciel par les toits
de la rue qui tournait et faisait onduler comme une vraie
45 rivière ce ruisseau roulant des astres.

Tout était clair dans l'air léger, depuis les planètes jusqu'aux
becs de gaz[2]. Tant de feux brillaient là-haut et dans la ville que
les ténèbres en semblaient lumineuses. Les nuits luisantes sont
plus joyeuses que les grands jours de soleil.

50 Sur le boulevard, les cafés flamboyaient ; on riait, on passait, on buvait. J'entrai au théâtre, quelques instants, dans quel
théâtre ? je ne sais plus. Il y faisait si clair que cela m'attrista
et je ressortis le cœur un peu assombri par ce choc de lumière

---

1. *les boulevards* : larges rues plantées d'arbres qui encerclaient le cœur de Paris, traversé
   par la Seine ; voir la carte de Paris, p. 18-19.

2. *becs de gaz* : réverbères.

brutale sur les ors du balcon, par le scintillement factice du
55   lustre énorme de cristal, par la barrière du feu de la rampe,
par la mélancolie de cette clarté fausse et crue. Je gagnai les
Champs-Élysées[1] où les cafés-concerts semblaient des foyers
d'incendie dans les feuillages. Les marronniers frottés de
lumière jaune avaient l'air peints, un air d'arbres phospho-
60   rescents. Et les globes électriques, pareils à des lunes éclatantes
et pâles, à des œufs de lune tombés du ciel, à des perles mons-
trueuses, vivantes, faisaient pâlir sous leur clarté nacrée,
mystérieuse et royale, les filets de gaz, de vilain gaz sale, et
les guirlandes de verres de couleur.

65   Je m'arrêtai sous l'Arc de Triomphe pour regarder l'avenue,
la longue et admirable avenue étoilée, allant vers Paris entre
deux lignes de feux, et les astres ! Les astres là-haut, les astres
inconnus jetés au hasard dans l'immensité où ils dessinent ces
figures bizarres, qui font tant rêver, qui font tant songer.

70   J'entrai dans le bois de Boulogne et j'y restai longtemps,
longtemps. Un frisson singulier m'avait saisi, une émotion im-
prévue et puissante, une exaltation de ma pensée qui touchait
à la folie.

    Je marchai longtemps, longtemps. Puis je revins.

75   Quelle heure était-il quand je repassai sous l'Arc de
Triomphe ? Je ne sais pas. La ville s'endormait, et des nuages,
de gros nuages noirs s'étendaient lentement sur le ciel.

    Pour la première fois je sentis qu'il allait arriver quelque
chose d'étrange, de nouveau. Il me sembla qu'il faisait froid,
80   que l'air s'épaississait, que la nuit, que ma nuit bien-aimée,
devenait lourde sur mon cœur. L'avenue était déserte, maintenant. Seuls, deux sergents de ville se promenaient auprès
de la station des fiacres, et, sur la chaussée à peine éclairée
par les becs de gaz qui paraissaient mourants, une file de

---

1. *Champs-Élysées* : célèbre avenue allant de la place de la Concorde à l'Arc de triomphe ;
   voir la carte de Paris, p. 18-19.

85 voitures de légumes allait aux Halles[1]. Elles allaient lentement,
chargées de carottes, de navets et de choux. Les conducteurs
dormaient, invisibles ; les chevaux marchaient d'un pas égal,
suivant la voiture précédente, sans bruit, sur le pavé de bois.
Devant chaque lumière du trottoir, les carottes s'éclairaient
90 en rouge, les navets s'éclairaient en blanc, les choux s'éclairaient en vert ; et elles passaient l'une derrière l'autre, ces voitures, rouges d'un rouge de feu, blanches d'un blanc d'argent,
vertes d'un vert d'émeraude. Je les suivis, puis je tournai par
la rue Royale et revins sur les boulevards. Plus personne, plus
95 de cafés éclairés, quelques attardés seulement qui se hâtaient.
Je n'avais jamais vu Paris aussi mort, aussi désert. Je tirai ma
montre, il était deux heures.

Une force me poussait, un besoin de marcher. J'allai donc
jusqu'à la Bastille[2]. Là, je m'aperçus que je n'avais jamais vu
100 une nuit si sombre, car je ne distinguais pas même la colonne
de Juillet, dont le Génie d'or était perdu dans l'impénétrable
obscurité. Une voûte de nuages, épaisse comme l'immensité,
avait noyé les étoiles, et semblait s'abaisser sur la terre pour
l'anéantir.

105 Je revins. Il n'y avait plus personne autour de moi. Place
du Château-d'Eau, pourtant, un ivrogne faillit me heurter, puis
il disparut. J'entendis quelque temps son pas inégal et sonore.
J'allais. À la hauteur du faubourg Montmartre[3] un fiacre passa,
descendant vers la Seine. Je l'appelai. Le cocher ne répondit
110 pas. Une femme rôdait près de la rue Drouot[4] : « Monsieur,
écoutez donc. » Je hâtai le pas pour éviter sa main tendue. Puis

---

1. *Halles* : marché central situé au nord du Louvre ; voir la carte de Paris, p. 18-19.

2. *la Bastille* : place située à l'ouest de la gare de Vincennes ; s'y dresse la colonne de Juillet, surmontée d'un génie de la Liberté, au sud de la place du Château-d'Eau, appelée aujourd'hui place de la République ; voir la carte de Paris, p. 18-19.

3. *faubourg Montmartre* : rue située au nord du Louvre qui prend naissance au boule-vard Montmartre et qui croise au nord la rue Lafayette, laquelle se termine à la place de l'Opéra ; voir la carte de Paris, p. 18-19.

4. *rue Drouot* : rue qui relie le boulevard Montmartre et la rue Lafayette ; voir la carte de Paris, p. 18-19.

plus rien. Devant le Vaudeville[1], un chiffonnier fouillait le
ruisseau. Sa petite lanterne flottait au ras du sol. Je lui
demandai : « Quelle heure est-il, mon brave ? »

115   Il grogna : « Est-ce que je sais ! J'ai pas de montre. »

Alors je m'aperçus tout à coup que les becs de gaz étaient
éteints. Je sais qu'on les supprime de bonne heure, avant le
jour, en cette saison, par économie ; mais le jour était encore
loin, si loin de paraître !

120   « Allons aux Halles, pensai-je, là au moins je trouverai la
vie. »

Je me mis en route, mais je n'y voyais même pas pour me
conduire. J'avançais lentement, comme on fait dans un bois,
reconnaissant les rues en les comptant.

125   Devant le Crédit Lyonnais[2], un chien grogna. Je tournai par
la rue de Grammont[3], je me perdis ; j'errai, puis je reconnus
la Bourse aux grilles de fer qui l'entourent. Paris entier
dormait, d'un sommeil profond, effrayant. Au loin pourtant
un fiacre roulait, un seul fiacre, celui peut-être qui avait passé

130   devant moi tout à l'heure. Je cherchais à le joindre, allant vers
le bruit de ses roues, à travers les rues solitaires et noires,
noires, noires comme la mort.

Je me perdis encore. Où étais-je ? Quelle folie d'éteindre sitôt
le gaz ! Pas un passant, pas un attardé, pas un rôdeur, pas un

135   miaulement de chat amoureux. Rien.

Où donc étaient les sergents de ville ? Je me dis : « Je vais
crier, ils viendront. » Je criai. Personne ne répondit.

J'appelai plus fort. Ma voix s'envola, sans écho, faible, étouf-
fée, écrasée par la nuit, par cette nuit impénétrable.

140   Je hurlai : « Au secours ! au secours ! au secours ! »

---

1. *le Vaudeville* : célèbre théâtre comique situé sur le boulevard des Capucines, au sud
   de la place de l'Opéra ; voir la carte de Paris, p. 18-19.

2. *Crédit Lyonnais* : la première banque française à cette époque, dont le siège social est
   situé dans le quartier de la Bourse, au 19 boulevard des Italiens, dans le prolongement
   du boulevard des Capucines, au nord des Halles ; voir la carte de Paris, p. 18-19.

3. *rue de Grammont* : voir la carte de Paris, p. 18-19.

Mon appel désespéré resta sans réponse. Quelle heure était-il donc ? Je tirai ma montre, mais je n'avais point d'allumettes. J'écoutai le tic-tac léger de la petite mécanique avec une joie inconnue et bizarre. Elle semblait vivre. J'étais moins seul. Quel
145 mystère ! Je me remis en marche comme un aveugle, en tâtant les murs de ma canne, et je levais à tout moment mes yeux vers le ciel, espérant que le jour allait enfin paraître ; mais l'espace était noir, tout noir, plus profondément noir que la ville.

150 Quelle heure pouvait-il être ? Je marchais, me semblait-il, depuis un temps infini, car mes jambes fléchissaient sous moi, ma poitrine haletait, et je souffrais de la faim horriblement.

Je me décidai à sonner à la première porte cochère. Je tirai le bouton de cuivre, et le timbre tinta dans la maison sonore ;
155 il tinta étrangement comme si ce bruit vibrant eût été seul dans cette maison.

J'attendis, on ne répondit pas, on n'ouvrit point la porte. Je sonnai de nouveau ; j'attendis encore, — rien.

J'eus peur ! Je courus à la demeure suivante, et vingt fois
160 de suite je fis résonner la sonnerie dans le couloir obscur où devait dormir le concierge. Mais il ne s'éveilla pas, — et j'allai plus loin, tirant de toutes mes forces les anneaux ou les boutons, heurtant de mes pieds, de ma canne et de mes mains les portes obstinément closes.

165 Et tout à coup, je m'aperçus que j'arrivais aux Halles. Les Halles étaient désertes, sans un bruit, sans un mouvement, sans une voiture, sans un homme, sans une botte de légumes ou de fleurs. — Elles étaient vides, immobiles, abandonnées, mortes !

170 Une épouvante me saisit, — horrible. Que se passait-il ? Oh ! mon Dieu ! que se passait-il ?

Je repartis. Mais l'heure ? l'heure ? qui me dirait l'heure ? Aucune horloge ne sonnait dans les clochers ou dans les monuments. Je pensai : « Je vais ouvrir le verre de ma montre et
175 tâter l'aiguille avec mes doigts. » Je tirai ma montre… elle ne

battait plus… elle était arrêtée. Plus rien, plus rien, plus un frisson dans la ville, pas une lueur, pas un frôlement de son dans l'air. Rien ! plus rien ! plus même le roulement lointain du fiacre, – plus rien !

180   J'étais aux quais, et une fraîcheur glaciale montait de la rivière.

    La Seine coulait-elle encore ?

    Je voulus savoir, je trouvai l'escalier, je descendis… Je n'entendais pas le courant bouillonner sous les arches du pont…
185 Des marches encore… puis du sable… de la vase… puis de l'eau… j'y trempai mon bras… elle coulait… elle coulait… froide… froide… froide… presque gelée… presque tarie… presque morte.

    Et je sentais bien que je n'aurais plus jamais la force de
190 remonter… et que j'allais mourir là… moi aussi, de faim — de fatigue — et de froid.

Paru dans Gil Blas, le 14 mars 1887.

DEUXIÈME PARTIE

Étude
de deux récits

Les Portes de l'opium
(Marcel Schwob)

Le Saut du Berger
(Guy de Maupassant)

Les Portes de l'opium
(Marcel Schwob)

PETIT LEXIQUE PRÉPARATOIRE
À LA COMPRÉHENSION DU TEXTE

Nous vous suggérons de chercher dans *Le Petit Robert 1* les mots
en caractères gras, dont vous auriez intérêt à vous méfier. Cette
recherche vous amènera à mieux comprendre le texte, en vous
aidant notamment à saisir certaines nuances de la langue française du XIXᵉ siècle, en apparence proche de la nôtre, mais qui
nous réserve parfois des surprises. Ce faisant, remarquez bien l'étymologie des mots et notez le moment de leur apparition dans la
langue. Voici ce que votre recherche pourrait révéler.

ÉLÉGANT (ligne 5) adj. — 1150, rare av. XVᵉ; lat. *elegans* […]
   3. (XVIIIᵉ) […] ◊ N. (vx au masc.) Personne élégante ou qui
   affecte l'élégance. *Un jeune élégant* (⇒ **dandy**) *un peu ridicule*
   […].

INDOLENT (ligne 6) adj. — 1590; bas lat. *indolens* […] **2.** (av.
1660) MOD. et COUR. Qui évite de se donner de la peine, de
faire des efforts. *Personne indolente*. […] PAR EXT. *Un air indolent. Geste, regard indolent.*

ALTERNATIVE (ligne 7) 1. n. f. — 1401; de *alternatif* **1.** […] ◊
MOD. (AU PLUR.) Phénomènes ou états opposés se succédant
régulièrement. […] **2.** (XVIIᵉ) […] situation dans laquelle il n'est
que deux partis possibles.

ALIÉNER (ligne 19) v. tr. — 1265; lat. *alienare*, de *alienus* «qui
appartient à un autre», de *alius* «autre» […] **2.** (XIVᵉ) VX *Aliéner
l'esprit*: rendre fou. ⇒ **aliéné. 3.** (XVIᵉ) Éloigner, rendre
hostile.

HANTER (ligne 25) v. tr. — v. 1138 « habiter » ; a. scand. *heimta*, rad. *haim* […] **4.** (XIXe) FIG. Habiter l'esprit de (qqn) en gênant, en tourmentant. ⇒ **obséder, poursuivre.**

ŒIL, plur. **YEUX** (ligne 27) n. m. — 1342 *œil*, plur. *yeulx* ; 1170 *uel*, plur. *ialz* ; 1050 *oil* ; v. 980 *ol* ; lat. *oculus* […] **III.** PAR ANAL. **1.** Se dit d'ouvertures, trous, bagues, ornements ronds (plur. ŒILS). *Œil d'une aiguille.* ⇒ **chas.** […] Trou dans le rideau d'un théâtre pour observer.

GRILLER (lignes 27 et 31) **2.** v. tr. — 1463 ; de *grille* ♦ Fermer d'une grille. ⇒ **grillager.** […] – P. p. adj. *Fenêtre grillée.* ◊ PAR EXT. VX Enfermer, cloîtrer.

SERPENT (ligne 32) n. m. — 1080 ; lat. *serpens*, proprt « rampant » […] **2.** Représentation symbolique ou religieuse de cet animal. […] **3.** Chose étirée, sinueuse.

BARRÉ (ligne 47) adj. et n. m. — XIIe ; de *barrer* […] **2.** Traversé, rayé d'une ou plusieurs barres.

MÉLOPÉE (ligne 77) n. f. — 1578 ; bas lat. *melopoeia*, du gr. […] **2.** COUR. Chant, mélodie monotone.

RÉSONNER (ligne 100) v. intr. — *résoner* v. 1150 ; lat. *resonare* **1.** Produire un son accompagné de résonances. […] **2.** Retentir en s'accompagnant de résonances (son).

BARIOLÉ (ligne 117) adj. — 1617 ; *barrolé* 1546 ; de deux mots d'a. fr. de même sens *barré* et *riolé* « rayé, bigarré » ♦ Coloré de tons vifs, variés et souvent s'harmonisant mal entre eux.

GUILLOCHÉ (lignes 118-119) adj. — 1570 ; de *guillocher* ♦ Orné de guillochis. **GUILLOCHIS** n. m. — 1555 ; de *guillocher* ♦ TECHN. Ornement de sculpture ou d'orfèvrerie formé de traits gravés entrecroisés avec régularité, symétrie.

HYPERESTHÉSIE (ligne 123) n. f. — 1808; lat. méd. *hyper-æstheses* (1795); cf. *hyper–* et *–esthésie* ◆ MÉD. Sensibilité exagérée, pathologique.

BRILLANT (ligne 134) 1. adj. — 1564; de *briller* 1. Qui brille. ⇒ **chatoyant**, […] **étincelant**, […] **lumineux**, […] **radieux, rayonnant, resplendissant** […] 2. FIG. Qui sort du commun, s'impose à la vue, à l'imagination par sa qualité. […] ⇒ **captivant, intéressant**.

POSSÉDER (ligne 138) v. tr. — XIVᵉ; *pursedeir* v. 1120; *possider*, XIIIᵉ; lat. *possidere* 1. Avoir (qqch.) à sa disposition de façon effective et généralement exclusive (qu'on en soit ou non propriétaire). […] 4. Obtenir les faveurs de (qqn). […] ◊ (1655) *Posséder une femme, un homme*: accomplir avec elle, lui, l'acte sexuel.

ANALYSE DU TEXTE

Puisque vous en êtes à votre première analyse, vous trouverez ici soit des pistes ou des conseils, soit des éléments de réponses, qui peuvent prendre la forme de résumés ou d'amorces. Il vous appartient de développer vos réponses dans des phrases complètes. Afin de vous guider dans cette tâche, la réponse à la première question de chacune des trois approches vous est donnée dans une forme achevée.

PREMIÈRE APPROCHE : COMPRENDRE LE TEXTE

Les questions qui suivent visent à bien vous faire saisir le sens général du texte et plus particulièrement la portée de certains mots, tournures, courts passages ou constructions syntaxiques. Certaines de ces questions pourraient être reprises plus loin, de manière à vous permettre d'atteindre une compréhension plus fine, plus nuancée, plus intégrée du texte.

1. Quelle est la fonction narrative du personnage principal de l'histoire ? Quel est l'effet créé par la fonction qu'il joue dans le récit ?

   • Le personnage principal de l'histoire est le narrateur, il parle au « je ».

   • Sa fonction de narrateur autodiégétique* en focalisation* interne crée un effet de réel qui porte à croire qu'il s'agit d'une histoire réelle, vécue et remémorée par le narrateur.

2. À partir des deux premiers paragraphes (lignes 1 à 24), dressez le portrait de ce personnage et précisez les motivations qui le poussent à agir comme il le fait.

   • Le personnage est :
   — riche (lignes 3-4) ;
   — …

   • Ce qui le pousse à agir, c'est :
   — la curiosité (ligne 17) ;
   — …

3. Relevez les caractéristiques de la porte qui hante le narrateur dans les deux dernières phrases du troisième paragraphe (lignes 28 à 36). Que nous permettent-elles de conclure sur l'état de cette porte ?

   • Relevé
   — « une porte basse, en ogive » (ligne 31) ;
   — …

   • Analyse
   Le fait que les « orties et les ravenelles [jaillissent] par bouquets sous le seuil » (lignes 34-35) de la porte prouve…

   • Conclusion
   — En somme, il s'agit d'une porte…

4. À partir de quel paragraphe peut-on dire que commence l'hallucination du narrateur ? Quel marqueur temporel

indique ce moment ? Par rapport à la longueur totale du texte, s'agit-il d'un moment stratégique ?

- L'hallucination du narrateur commence au onzième paragraphe.
- Ce moment est signalé par le marqueur temporel…
- Par rapport à la longueur totale du texte, il s'agit d'un moment stratégique, car…

5. Comment le narrateur nous fait-il comprendre que la jeune femme est d'origine étrangère ?
   - Il en fait une description exotique :
     — « la figure frottée de safran » (ligne 110) ;
     — « les yeux attirés vers les tempes » (lignes 110-111) ;
     — …
   - Il la désigne et l'interpelle par des expressions évocatrices :
     — …

6. Déterminez à quel paragraphe se termine l'incipit* et commence le récit à proprement parler, c'est-à-dire les événements. Quels sont les deux marqueurs qui permettent de le préciser ?
   - L'incipit se termine à la fin du deuxième paragraphe (ligne 24).
   - Les deux marqueurs qui indiquent le début du récit à proprement parler sont :
     — d'abord, l'adverbe…
     — mais c'est vraiment au début du cinquième paragraphe que l'expression adverbiale…

7. On peut découper les vingt-deux paragraphes des « Portes de l'opium » en six parties, identifiées dans le tableau ci-contre. Complétez ce tableau en précisant, pour chacune des parties, les paragraphes concernés et les marqueurs temporels utilisés, s'il y a lieu.

Parties	Paragraphes	Marqueurs temporels, s'il y a lieu
Incipit/tableau d'introduction	...	...
Interrogation concernant la porte mystérieuse	...	...
Traversée des portes	...	...
Hallucination	...	...
Réveil brutal	...	...
Sortie par la porte	...	...

DEUXIÈME APPROCHE : ANALYSER LE TEXTE

Ici, les questions approfondissent celles de l'étape précédente et, surtout, abordent les aspects formels du texte. Elles vous permettent d'en évaluer les sous-entendus, en montrant, par exemple, le rôle de la ponctuation ou du temps des verbes, en faisant voir la portée d'une figure de style, la force d'une argumentation, l'effet de la tonalité dominante du texte, etc. C'est aussi l'occasion de vous amener à faire des liens entre fond et forme, à saisir en somme ce qui fait le propre du texte littéraire. Ici encore, seule la première question est présentée avec une réponse complète.

8. Pourquoi la nouvelle s'intitule-t-elle « Les Portes de l'opium » ? Y aurait-il plus d'une porte dans ce récit ou plusieurs sens au mot « porte » ? Pour répondre, relevez les quinze occurrences du terme et analysez-les dans leur contexte.

- Relevé
  1. « je fus hanté par la curiosité d'une porte » (lignes 25-26) ;
  2. « on voyait une porte basse, en ogive, fermée d'une serrure » (lignes 31-32) ;

3. « des écailles blanchâtres se soulevaient sur la porte comme sur la peau d'un lépreux » (lignes 35-36) ;

4. « des êtres vivants [...] cloîtrés du monde par la petite porte basse qu'on ne voyait jamais ouverte » (lignes 37 à 40) ;

5. « j'interrogeais la porte comme un problème » (ligne 42) ;

6. « je fus invinciblement ramené *à l'idée de la porte* » (lignes 48-49) ;

7. « au bout de la rue abandonnée où était la porte » (ligne 53) ;

8. « la porte roula sur ses gonds rouillés sans grincer » (lignes 56-57) ;

9. « la porte se referma silencieusement sur moi » (lignes 61-62) ;

10. « je vis passer devant mes yeux aussitôt, bien qu'il n'y eût eu aucune transition, l'image de la porte » (lignes 94-95) ;

11. « le mendiant qui était devant la porte » (lignes 149-150) ;

12. « Je me trouvai assis devant une petite porte basse, en ogive, fermée d'une serrure à longs serpents de fer et croisée de traverses vertes » (lignes 166 à 168) ;

13. et 14. « une porte rigoureusement semblable à la porte mystérieuse, mais percée dans un immense mur blanchi à la chaux » (lignes 168 à 170) ;

15. « Et j'étais là, perdu, pauvre comme Job, nu comme Job, derrière la seconde porte » (lignes 173-174).

• Analyse

Il y a concrètement deux portes dans ce texte :

— la porte pour entrer dans l'enceinte à partir de « la vieille rue abandonnée » (lignes 33-34) : les occurrences 1 à 4, 7 à 9, 11 ;

— la porte pour sortir de l'enceinte et qui donne sur « la rase campagne » (ligne 170) : les occurrences 12 à 15.

Les deux portes sont « rigoureusement semblable[s] », à l'exception du mur dans lequel elles sont percées : il s'agit donc vraiment d'une « seconde » porte.

Les trois occurrences qui restent (5, 6 et 10) induisent, par les mots « problème », « idée » et « image », que le terme doit être interprété aussi au sens figuré de « portes sur un autre monde », ouvertes par les hallucinations causées par l'opium. Car il y a une différence marquante entre les deux portes : si le narrateur éprouvait le désir impérieux de franchir la première (« hanté », « interrogeais », « invinciblement »), sa sortie par la seconde s'est faite dans un état de transe (lignes 155 à 172).

9. Relevez un oxymore* dans le quatrième paragraphe (lignes 37 à 42). À quel mot du Petit lexique préparatoire se rattache-t-il ? Pourquoi cette expression convient-elle à l'état d'âme du narrateur ? Le glossaire sur les notions littéraires vous sera d'une grande aide pour trouver cet oxymore.

   • Oxymore : …

   • Mot du Petit lexique préparatoire : …

   • Cet oxymore est révélateur de l'état d'âme du narrateur dont…

10. Quels sont les pronoms personnels qui désignent le narrateur* dans le premier paragraphe ? Justifiez l'emploi de chacun.

   • Les pronoms personnels qui désignent le narrateur sont : « Je » (ligne 1), …

   • Ces pronoms se rapportent chacun à un sujet différent : — le « je » est utilisé pour le narrateur en tant que tel ; — …

11. Dans le premier paragraphe, relevez les marques du pluriel des groupes nominaux et pronominaux, les conjonctions de coordination et finalement la ponctuation des phrases se trouvant aux lignes 5 à 8 et 11 à 16. Quel effet chacun de ces trois procédés grammaticaux produit-il ? Au total, quelle impression s'en dégage-t-il ?

- Les marques du pluriel des groupes nominaux et pronominaux : « actions répétées et habituelles » (lignes 2-3), « Les hôtels somptueux ni les attelages de luxe » (ligne 5), ...
  Ces marques du pluriel...

- Les conjonctions de coordination : ...
  Ces conjonctions...

- La ponctuation des phrases : ...
  Cette ponctuation...

- Au total, se dégage de ce paragraphe l'impression...

12. Faites le relevé des couleurs du mur au troisième paragraphe (lignes 25 à 36) et du « vieux petit homme » au cinquième paragraphe (lignes 43 à 50). Quel mot du Petit lexique préparatoire décrit cet assemblage de couleurs ? Quel rapport peut-on établir entre le mur et le personnage ?

- Relevé

Couleurs	Vieux petit homme
« un haut mur <u>gris</u> » (ligne 27)	« foulard <u>rouge</u> » (ligne 45)
...	...

- Mot du Petit lexique préparatoire : ...
- Ce qui relie le mur et le personnage, c'est qu'ils sont tous les deux...

13. Relevez tous les mots du champ sémantique de la curiosité dans les troisième et cinquième paragraphes (lignes 25 à 50). Comment peut-on expliquer la fascination du narrateur pour la porte ?

- Relevé
  — « la <u>curiosité</u> d'une porte » (ligne 26) ;
  — ...

- Cette fascination est en accord avec ce qui est affirmé au premier paragraphe. Le narrateur...

14. La description du mur au troisième paragraphe (lignes 25 à 36) met l'accent sur sa taille (ou longueur) impressionnante. Repérez les mots qui le connotent dans ces lignes. Quelle est l'impression laissée par cette description ? Est-elle réaliste ?

- Le mur est « haut » (ligne 27), les « yeux » sont à « de grandes hauteurs » (ligne 27), …
- L'impression laissée par la description est celle d'un mystère, …
- Cette description n'est donc pas réaliste ; elle est…

15. En vous attardant aux couleurs et aux formes, relevez les ressemblances entre la description du mur (lignes 25 à 36) et celle de la femme (lignes 108 à 126). Que peut-on en déduire ? Pour vous aider, consultez les mots « barré », « serpent », « bariolé » et « guilloché » dans le Petit lexique préparatoire ainsi que vos réponses aux questions 4 et 12.

Le mur	La femme
« je fus hanté par la <u>curiosité</u> d'une porte » (lignes 25-26) « <u>fausses</u> fenêtres » (ligne 28)	« elle avait l'aspect […] des statues d'ivoire de Chine, <u>curieusement ajourées et rehaussées</u> de couleurs bariolées » (lignes 115 à 117)
…	…
…	…
…	…
…	…
…	…
…	…
…	…

- La description de la femme semble faire écho à celle du mur, comme si l'image de la première se superposait à celle du second. Les deux sont…

16. Observez les sons entre les quatrième et treizième paragraphes (lignes 37 à 126). Que peut-on conclure sur l'évolution du son ? Pour répondre, consultez les définitions des mots « résonner » et « mélopée » dans le Petit lexique préparatoire.

   - Le silence semble régner dans les premiers paragraphes :
     — la rue est « silencieuse » (lignes 41-42) ;
     — …
   - Puis le bruit domine de plus en plus à partir de la ligne 70 :
     — « le silence [est] moins profond, car le vent sembl[e] respirer lentement dans les branches », (lignes 70-71) ;
     — …

TROISIÈME APPROCHE : COMMENTER LE TEXTE

Les questions qui suivent visent à vous amener à établir des relations entre divers éléments du texte et, par déduction, à proposer des interprétations. Dans un premier temps, elles présentent des réflexions sur l'ensemble du texte, autour d'une problématique esquissée aux approches précédentes. Dans un deuxième temps, elles visent à vous faire établir des liens entre le texte analysé et deux autres textes de l'anthologie, l'un symboliste, l'autre réaliste.

Ce type de commentaire suppose une compréhension profonde du texte, servie par une sensibilité aiguë, et développe une quête permanente de cohérence de même qu'une recherche d'intégration culturelle, elle-même en constante évolution. Ici encore, seule la première question est présentée avec une réponse complète.

17. Montrez que le « jeu » de l'opium a fait de l'élégant narrateur* un mendiant, semblable à celui sur lequel il a trébuché au début du récit (lignes 57 à 59). Est-il possible d'affirmer que le narrateur comble son désir d'être une autre

personne, tel qu'il l'exprimait au deuxième paragraphe du récit ? Justifiez votre réponse. Pour vous aider, consultez la définition du mot « alternative », dans le Petit lexique préparatoire ainsi que vos réponses aux questions 1, 10 et 11.

Au premier paragraphe, le narrateur dit : « le jeu ne présentait que deux alternatives à mon esprit agité : c'était trop peu » (lignes 7-8). Il rêve de quelque chose de plus grand, il veut faire plus que perdre ou gagner.

Pourtant, la conquête de la jeune femme qu'il tente de faire aux paragraphes 13 à 15 (lignes 120 à 138) se présente comme un abandon au jeu de hasard. Le narrateur dit à la jeune femme : « je veux donner tout ce qui est à moi pour te "posséder" » (lignes 137-138). À ce sujet, il est utile de revoir les deux acceptions du mot dans le Petit lexique préparatoire : possession et acte sexuel. Le narrateur signe son carnet de chèques « en blanc » (ligne 145) pour posséder cette dame. Comme un joueur compulsif, pathologique, il perdra effectivement sa fortune pour atteindre son but : « Hélas, hélas, ma fortune est détruite — oh ! oh ! mon argent est perdu ! » (lignes 180-181)

Le narrateur a donc réalisé son souhait d'être une autre personne, tel qu'il l'annonçait au début. D'une certaine façon, même s'il échange ses accoutrements d'« élégant » avec les vêtements usés du mendiant (lignes 149 à 152), et qu'il se lamente sur la perte de son argent (lignes 173 à 181), il comble néanmoins son « désir douloureux de [s]'aliéner à [lui]-même » et « d'être [un] pauvre » (lignes 18-19). Le piège de l'opium l'a fait passer du monde des dandys à celui de la mendicité. Qui quête du rêve devient mendiant.

18. Aux yeux du narrateur, la fille exotique qui apparaît dans les vapeurs de l'opium représente la femme idéale. De l'aveu même du narrateur (lignes 120 à 135), l'allure de cette dernière provoque l'« hyperesthésie » de ses sens. Dans les extraits suivants, indiquez entre crochets les sens qui sont concernés par les mots soulignés (goût, odorat, ouïe).

Complétez ensuite le tableau. Qu'en concluez-vous sur le symbolisme de Schwob ? Pour vous aider à répondre, reportez-vous à vos réponses aux questions 15 et 16.

• Sens concernés
    — « Elle avait la figure frottée de <u>safran</u> » [goût + odorat] (ligne 110) ;
    — « [...] avec sa peau <u>épicée</u> [   ] et peinte, elle avait l'aspect et l'<u>odeur</u> [   ] des statues d'ivoire de Chine [...] » (lignes 115-116) ;
    — « Elle était nue jusqu'à la ceinture ; ses seins pendaient comme deux <u>poires</u> [   ] [...] » (lignes 117-118) ;
    — « [...] chacune des couleurs de son costume et de sa peau semblait à l'hyperesthésie de mes sens un <u>son</u> [   ] <u>délicieux</u> [   ] dans l'<u>harmonie</u> [   ] qui m'enveloppait ; chacun de ses gestes et les poses de ses mains étaient comme des parties <u>rythmées</u> [   ] d'une danse [...] » (lignes 121 à 125).

Goût	Odorat	Ouïe
safran	safran	
...	...	...

• Conclusion
  Cette femme fantasmée incarne l'expérience symboliste idéale : ...

COMPARAISON AVEC UN AUTRE RÉCIT SYMBOLISTE DE L'ANTHOLOGIE

19. « À s'y méprendre » est une très courte nouvelle de Villiers de l'Isle-Adam, qui raconte comment se déroule un « rendez-vous d'affaires ». Le narrateur*, personnage principal, vit des événements étranges dans des lieux qui évoquent la morgue ou une salle d'autopsie. Comment l'intrigue est-elle structurée ? En quoi la structure de « À s'y méprendre » comporte-t-elle des similitudes avec

celle des « Portes de l'opium » ? La perception du narrateur y est-elle pour quelque chose ?

• Les deux nouvelles sont structurées comme des récits répétitifs ; grâce à l'effet de miroir, beaucoup d'éléments reviennent plus loin dans le texte.

La nouvelle de Schwob
— Dans ce texte, plusieurs rapprochements se créent entre les objets…
— Certains éléments de l'histoire reviennent dans un deuxième temps : …
— Dans la deuxième moitié du récit (à partir de la ligne 94), la plupart des répétitions s'expliquent par le fait que ce sont les hallucinations du narrateur qui provoquent l'effet de miroir…

La nouvelle de Villiers de l'Isle-Adam
— Dans ce récit, la répétition est si prononcée qu'on a l'impression de lire exactement le même texte une seconde fois, avec une séquence de paragraphes analogues. Cette coupure a lieu à partir de…
— Dès lors, les événements qui se succèdent se ressemblent beaucoup, et on voit même que la forme syntaxique de certaines phrases est reprise.

Première partie (lignes 30 à 53)	Deuxième partie (lignes 77 à 98)
« À des colonnes étaient appendus des vêtements, des cache-nez, des chapeaux. » (lignes 30-31)	« À des colonnes étaient appendus des vêtements, des cache-nez, des chapeaux. » (lignes 77-78)
« Des tables de marbre étaient disposées de toutes parts. » (ligne 32)	« Des tables de marbre étaient disposées de toutes parts. » (ligne 79)
…	…

— Cette nouvelle repose sur l'effet de redoublement, car elle est la démonstration que…

- Dans les deux cas, les répétitions révèlent qu'il y a distorsion dans la perception du narrateur. Cela laisse croire qu'il…
  — Le narrateur du texte de Schwob semble moins conscient de la reprise. Malgré toutes les répétitions, le narrateur des « Portes de l'opium » affirme pourtant à la sortie de la porte : …
  — Dans le cas du texte de Villiers de l'Isle-Adam, ce redoublement est encore plus onirique, car il remet en question l'événement lui-même, la coïncidence étant trop forte pour que le narrateur…

COMPARAISON AVEC UN RÉCIT RÉALISTE DE L'ANTHOLOGIE

20. Comparez les cinq premiers paragraphes (lignes 1 à 50) des « Portes de l'opium » avec les quatre premiers paragraphes du quatrième chapitre de « La Mort d'Olivier Bécaille » de Zola (lignes 649 à 721). Le héros fantastique de chaque texte se sent-il ou se tient-il responsable des phénomènes étranges qui l'affectent ? Montrez jusqu'à quel point il se sent l'instigateur de ses cauchemars et de ses malheurs ?

   - Dans le cas des « Portes de l'opium », le narrateur-héros évoque candidement sa « curiosité extravagante de la vie humaine » (lignes 17-18)…
   - Dans « La Mort d'Olivier Bécaille », le narrateur-héros…
   - Dans les deux récits, le héros est l'instigateur de son angoisse, même si…

Le Saut du Berger
(Guy de Maupassant)

PETIT LEXIQUE PRÉPARATOIRE À LA COMPRÉHENSION DU TEXTE

Nous vous suggérons de chercher dans *Le Petit Robert 1* les mots en caractères gras, dont vous auriez intérêt à vous méfier. Cette recherche vous amènera à mieux comprendre le texte, en vous aidant notamment à saisir certaines nuances de la langue française du XIXe siècle, en apparence proche de la nôtre, mais qui nous réserve parfois des surprises. Ce faisant, remarquez bien l'étymologie des mots et notez le moment de leur apparition dans la langue.

ANALYSE DU TEXTE

Puisque vous en êtes à votre deuxième analyse, vous ne trouverez ici ni pistes, ni réponses. Vous devrez développer, nuancer et justifier vos réponses en vous appuyant systématiquement sur le texte.

PREMIÈRE APPROCHE : COMPRENDRE LE TEXTE

Les questions qui suivent visent à bien vous faire saisir le sens général du texte et plus particulièrement la portée de certains mots, tournures, courts passages ou constructions syntaxiques. Certaines de ces questions pourraient être reprises plus loin, de manière à vous permettre d'atteindre une compréhension plus fine, plus nuancée, plus intégrée du texte.

1. Relevez les mots qui se rattachent à la géographie du lieu, du premier au quatrième paragraphe. Que peut-on dire de cette progression ?

2. Dans les quatre premiers paragraphes, relevez tous les mots qui supposent qu'il y a une dépression, un creux dans le terrain. Qu'ont en commun ces mots ?

3. Les quatre premiers paragraphes décrivent le paysage. Par quels mots ou expressions nous indique-t-on que ce paysage a été façonné par la nature pendant très longtemps ? Qu'est-ce que cette description nous révèle sur la durée et sur le temps de l'histoire ?

4. Le narrateur* est-il un personnage du récit ? Y joue-t-il un rôle important ?

5. Entre les septième et neuvième paragraphes, nous pouvons lire une description du caractère du prêtre. Quels traits psychologiques le caractérisent, et lequel parmi eux est dominant ?

6. Quels traits psychologiques du prêtre se contredisent ou semblent conflictuels ?

DEUXIÈME APPROCHE : ANALYSER LE TEXTE

Ici, les questions approfondissent celles de l'étape précédente et, surtout, abordent les aspects formels du texte. Elles vous permettent d'en évaluer les sous-entendus, en montrant, par exemple, le rôle de la ponctuation ou du temps des verbes, en faisant voir la portée d'une figure de style, la force d'une argumentation, l'effet de la tonalité dominante du texte, etc. C'est aussi l'occasion de vous amener à faire des liens entre fond et forme, à saisir en somme ce qui fait le propre du texte littéraire.

7. Dressez la liste des verbes des quatre premiers paragraphes. Qu'ont-ils en commun ? Quel effet l'auteur obtient-il ? Qualifiez ce procédé. Pour vous aider à répondre, inspirez-vous de vos réponses aux questions 2 et 3.

8. Reportez, dans un tableau, les caractéristiques du prêtre décrites au début du récit (voir la question 5) et celles de la tempête données aux lignes 84 à 97. Quels rapprochements pouvez-vous établir en les comparant ?

9. Dressez le champ* lexical du péché dans la dernière phrase du septième paragraphe (lignes 31 à 40). Qu'en concluez-vous sur la signification de la relation sexuelle dans la vision catholique du prêtre ?

10. Cette dernière phrase (lignes 31 à 40), remarquable par sa longueur, repose sur une figure* d'opposition répétée. Repérez cette figure et montrez comment elle se multiplie dans la phrase. Que révèle-t-elle de l'attitude du prêtre à l'égard de ses ouailles ou « brebis » paysannes ?

11. En vous aidant du dictionnaire, repérez les mots ou expressions qui, dans le huitième paragraphe (lignes 41 à 46), présentent une valeur dépréciative. Que pouvez-vous dire sur la position du curé par rapport à l'amour et à la sexualité ?

TROISIÈME APPROCHE : COMMENTER LE TEXTE

Les questions qui suivent visent à vous amener à établir des relations entre divers éléments du texte et, par déduction, à proposer des interprétations. Dans un premier temps, elles présentent des réflexions sur l'ensemble du texte, autour d'une problématique esquissée aux approches précédentes. Dans un deuxième temps, elles visent à vous faire établir des liens entre le texte analysé et deux autres textes de l'anthologie, l'un réaliste, l'autre symboliste.

Ce type de commentaire suppose une compréhension profonde du texte, servie par une sensibilité aiguë, et développe une quête permanente de cohérence de même qu'une recherche d'intégration culturelle, elle-même en constante évolution.

12. L'expression « peut-être » apparaît deux fois, soit aux lignes 37 et 47. Que révèle-t-elle quant à la prise de position du narrateur face aux intentions du curé ? Annonce-t-elle les événements à venir ? Pour vous aider à répondre, inspirez-vous de vos réponses aux questions 5, 8 et 11.

13. Si on observe attentivement la description de la tempête, est-il plausible de penser que c'est elle qui pousse le curé à commettre son crime ?

14. Qui peut être le berger du titre ? Existe-t-il plus d'une réponse ? Comment cela influe-t-il sur le sens possible du mot « saut » ?

COMPARAISON AVEC UN AUTRE RÉCIT RÉALISTE DE L'ANTHOLOGIE

15. Comme « Le Saut du Berger », « La Nuit » de Maupassant raconte l'histoire d'une obsession qui tourne mal, mais pour le narrateur lui-même cette fois. Les deux premiers paragraphes mettent clairement en scène cette idée fixe. À partir de quel type de figures* de style en particulier (figures* de substitution, figures* d'opposition, figures* d'insistance ou figures* d'atténuation) voit-on que la nuit obsède le narrateur ? Montrez que le même type de procédé décrit l'obsession du curé des septième au dixième paragraphes du « Saut du Berger ».

COMPARAISON AVEC UN RÉCIT SYMBOLISTE DE L'ANTHOLOGIE

16. En 1882 paraissent « Le Saut du Berger » de Maupassant et « Le désir d'être un homme » de Villiers de l'Isle-Adam. Ces deux récits abordent le thème de la haine extrême et décrivent en détail une attitude criminelle. Comparez les manières d'installer le décor et de situer l'histoire dans le temps dans les quatre premiers paragraphes des deux

récits (reportez-vous à vos réponses aux questions 1, 2, 3 et 7). Qu'ont-ils en commun ? Qu'ont-ils de différent ? Quel effet chaque description peut-elle avoir sur le lecteur quant à la vérité du récit ?

17. Les styles d'écriture des deux auteurs témoignent d'une différence dans leur manière de représenter le monde : une façon naturaliste chez Maupassant et une façon symboliste chez Villiers de l'Isle-Adam. Montrez en quoi leurs visions différentes se traduisent dans leur écriture, en vous inspirant notamment de l'introduction de cette anthologie.

ANNEXE I

LISTE ALPHABÉTIQUE DES NÉOLOGISMES*
DANS « FRRITT-FLACC » DE JULES VERNE

Dans cette nouvelle, Jules Verne emploie énormément de mots inventés ou parfois très inusités, comme en témoigne la liste suivante. Un dictionnaire de langue ou celui des noms propres ne sera pas d'un grand secours pour trouver leur définition. Il faut donc déduire leur sens d'après leur contexte, leur sonorité évocatrice, etc. Ces mots ne trouvent de sens parfois que par connotation*. Par exemple, on remarquera la relation paronymique, c'est-à-dire quasiment homophonique, de plusieurs d'entre eux avec des mots existants : flacc/flac, Crimma/Crimée, kerste/verste, balanze/balance, felzane/felouque, etc. Ces néologismes* et noms propres inhabituels contribuent puissamment à l'atmosphère étrange et fantastique qui se dégage de ce texte.

balanzes (ligne 18)
camondeur (ligne 112)
craquelinier (ligne 60)
Crimma (ligne 5)
crimmérienne (ligne 21)
Dontrup (ligne 113)
Edzingov (ligne 96)
entrefend (ligne 30)
entrouverture (ligne 182)
felzanes (ligne 18)
flacc (ligne 2)
fretzers (ligne 44)
froc (ligne 40)
frritt (ligne 1)
harraouah (ligne 175)
Hurzof (ligne 68)
kertses (ligne 17)

Kiltreno (ligne 95)
Luktrop (ligne 8)
lurtaine (ligne 130)
Mégalocride (ligne 6)
Messaglière (ligne 41)
Sainte-Philfilène (lignes 29-30)
Six-Quatre (ligne 26)
sourouët (ligne 130)
Trifulgas (ligne 52)
Val Karniou (ligne 57)
valvêtre (ligne 129)
Vanglor (ligne 13)
verliches (ligne 18)
Volsinie (ligne 273)
volsinienne (lignes 3-4)
Vort Kartif (ligne 59)

ANNEXE II

LISTE DES AUTEURS DE L'ANTHOLOGIE
PAR ORDRE ALPHABÉTIQUE

LISTE DES RÉCITS DE L'ANTHOLOGIE
PAR ORDRE ALPHABÉTIQUE

ORDRE DES RÉCITS DE L'ANTHOLOGIE
SELON LES COURANTS «HÉRÉDITAIRES»

	Titre	Auteur	Courant « héréditaire » de l'auteur
	Récits d'inspiration romantique ou symboliste		
1	« La Pipe d'opium » (1838)	Gautier (1811-1872)	romantique
2	« Deux acteurs pour un rôle » (1841)		
3	« Véra » (1874)	Villiers de l'Isle-Adam (1838-1889)	symboliste
4	« À s'y méprendre » (1875)		
5	« Le désir d'être un homme » (1882)		
6	« L'Homme voilé » (1891)	Schwob (1867-1905)	symboliste
7	« Les Portes de l'opium » (1891)		
	Récits d'inspiration réaliste ou naturaliste		
8	« La Jambe » (1858)	Asselineau (1820-1874)	réaliste
9	« Frritt-Flacc » (1884)	Verne (1828-1905)	réaliste
10	« La Mort d'Olivier Bécaille » (1879)	Zola (1840-1902)	naturaliste
11	« Le Saut du Berger » (1882)	Maupassant (1850-1893)	réaliste et naturaliste
12	« La Nuit – Cauchemar » (1887)		

ANNEXE III

TABLEAU SYNOPTIQUE DE LA LITTÉRATURE FANTASTIQUE FRANÇAISE DU XIXE SIÈCLE

Le tableau qui suit présente d'abord les œuvres importantes du fantastique français du XIXe siècle. Quelques œuvres marquantes de la littérature fantastique universelle se retrouvent sous la rubrique « Vie culturelle », parmi d'autres œuvres artistiques et faits culturels marquants de la même période. Les événements sociopolitiques servent de points de repère.

* = au Québec ou au Canada

	La littérature fantastique française entre 1811 et 1905	Vie culturelle	Événements sociopolitiques
1811	Naissance de Théophile Gautier.		Napoléon Ier, empereur des Français depuis 1804.
			* Division du territoire canadien depuis 1791 en deux colonies : le Haut-Canada et le Bas-Canada.
1814		Adelbert von Chamisso, *L'Étrange Histoire de Peter Schlemihl*.	Exil de Napoléon. Restauration. Louis XVIII monte sur le trône.
1816		Ernst Theodor Amadeus Hoffmann, *Les Élixirs du Diable*.	
1817		Ernst Theodor Amadeus Hoffmann, *Contes nocturnes*.	
1818		Mary Shelley, *Frankenstein ou le Prométhée moderne*.	

	La littérature fantastique française entre 1811 et 1905	Vie culturelle	Événements sociopolitiques
1820		Washington Irving, *La Légende du Val Dormant (The Legend of Sleepy Hollow)*. Ernst Theodor Amadeus Hoffmann, *Le Chat Murr*.	
1821	Naissance de Charles Asselineau. Charles Nodier, « Smarra ou les Démons de la nuit ».	Naissance de Charles Baudelaire.	* Fondation de l'Université McGill. Mort de Napoléon Bonaparte.
1822	Charles Nodier, « Trilby ou le Lutin d'Argail ».	Mort d'Ernst Theodor Amadeus Hoffmann.	Invention de la photographie par le Français Nicéphore Niepce.
1828	Naissance de Jules Verne.	Gérard de Nerval traduit *Faust* de Johann Wolfgang von Goethe.	
1830		Théophile Gautier, Gérard de Nerval et d'autres auteurs participent à la bataille d'*Hernani*.	Monarchie de Juillet. Louis-Philippe d'Orléans prend le pouvoir et gouverne les Français.
1831	Honoré de Balzac, *La Peau de chagrin*.	Johann Wolfgang von Goethe, *Le Second Faust*. Victor Hugo, *Notre-Dame de Paris*.	* Alexis de Tocqueville, penseur politique français, vient au Bas-Canada.
1832	Charles Nodier, « La Fée aux miettes ».		
1833		Honoré de Balzac, *Ferragus*.	Abolition de l'esclavage en Angleterre.

	La littérature fantastique française entre 1811 et 1905	Vie culturelle	Événements sociopolitiques
1834	Théophile Gautier, « Omphale, histoire rococo ».	Nicolas Gogol, « Le Nez ».	*Abolition de l'esclavage au Canada.
1836	Théophile Gautier, « La Morte amoureuse ».		
1837	Prosper Mérimée, « La Vénus d'Ille ». Gustave Flaubert, *Rêve d'enfer*.		* Rébellion des Patriotes en 1837-1838, dans le Bas-Canada (aujourd'hui le Québec).
1838	Naissance d'Auguste Villiers de l'Isle-Adam. Théophile Gautier, « La Pipe d'opium ».	Victor Hugo, *Ruy Blas*.	
1839		Edgar Allan Poe, « La Chute de la maison Usher » et « William Wilson ». Stendhal, *La Chartreuse de Parme*.	* Le Rapport Durham recommande l'union du Haut-Canada et du Bas-Canada et l'anglicisation des Canadiens français par une immigration britannique accrue.
1840	Naissance d'Émile Zola.		* L'Acte d'Union entre en vigueur. Le français n'est plus tenu pour langue officielle au Canada.
1841	Théophile Gautier, « Deux acteurs pour un rôle ».	Nicolas Gogol, « Le Manteau ».	* Mise en place d'un système d'écoles primaires, qui seront peu fréquentées. James Braid, chirurgien écossais, fait la découverte de l'hypnose.

	La littérature fantastique française entre 1811 et 1905	Vie culturelle	Événements sociopolitiques
1842	Aloysius Bertrand, *Gaspard de la nuit*.	Edgar Allan Poe, « Le Masque de la mort rouge ». William Turner, *Tempête de neige : vapeur à la sortie du port* (peinture).	Création d'un chemin de fer national en France.
1843		Nicolas Gogol, *Les Nouvelles péterbourgeoises*. Charles Dickens, *Un conte de Noël*. Edgar Allan Poe, « Le Chat noir ». Richard Wagner, *Le Vaisseau fantôme* (opéra).	
1844		Alexandre Dumas (père), *Le Comte de Monte Cristo* (1844-1845).	Le télégraphe de l'Américain Samuel Morse envoie pour la première fois un message entre Baltimore et Washington. * Montréal devient la capitale du Canada.
1845		Prosper Mérimée, *Carmen*. Edgar Allan Poe, « Le Corbeau ». Richard Wagner, *Tannhäuser* (opéra).	
1846		Fedor Dostoïevski, *Le Double*. George Sand, *La Mare au diable*.	

	La littérature fantastique française entre 1811 et 1905	Vie culturelle	Événements sociopolitiques
		Hector Berlioz, *La Damnation de Faust* (opéra).	
1848			Insurrection ouvrière. Louis-Philippe d'Orléans abdique. Louis-Napoléon Bonaparte, neveu de Napoléon Iᵉʳ, est élu président de la IIᵉ République. Abolition de l'esclavage en France. * Le français redevient une des deux langues officielles au Canada.
1849		Mort d'Edgar Allan Poe.	
1850	Naissance de Guy de Maupassant.	Mort d'Honoré de Balzac.	
1851		Herman Melville, *Moby Dick*.	Coup d'État de Louis-Napoléon Bonaparte.
1852	Théophile Gautier, «Le Pied de momie» et «Arria Marcella».	Nathaniel Hawthorne, *La Maison aux sept pignons*. Mort de Nicolas Gogol.	Début du Second Empire mettant au pouvoir Napoléon III. En France, envol du premier dirigeable, par Henri Giffard. * Fondation de l'Université Laval.
1853		Jules Verne, *Cinq semaines en ballon*.	Début des travaux de Haussmann (la reconstruction de Paris).

	La littérature fantastique française entre 1811 et 1905	Vie culturelle	Événements sociopolitiques
1854	Jules Verne, *Maître Zacharius*.	Naissance d'Arthur Rimbaud.	Début de la publication du journal *Le Figaro*. L'Allemand Heinrich Göbel invente l'ampoule électrique. L'Angleterre et la France s'allient et déclarent la guerre à la Russie.
1855	Gérard de Nerval, *Aurélia ou le Rêve et la Vie*. Mort de Gérard de Nerval.		Exposition universelle de Paris : exposition majeure des œuvres de Delacroix.
1856		Edgar Allan Poe, *Contes extraordinaires* (traduits par Charles Baudelaire). Victor Hugo, *Les Contemplations*.	
1857		Charles Baudelaire, *Les Fleurs du mal*. Gustave Flaubert, *Madame Bovary*. Allan Kardec, fondateur du spiritisme, *Le Livre des esprits*.	* Ottawa est désignée nouvelle capitale du Canada.
1858	Charles Asselineau, *La Double Vie* (« La Jambe »).	Jacques Offenbach, *Orphée aux enfers* (opérette). Théophile Gautier, *Le Roman de la momie*.	

	La littérature fantastique française entre 1811 et 1905	Vie culturelle	Événements sociopolitiques
1859		Mort du Britannique Thomas de Quincey, auteur des *Confessions d'un mangeur d'opium* (1821, traduit par Alfred de Musset en 1828). Charles Gounod, *Faust* (opéra). Charles Darwin, *De l'origine des espèces par voie de sélection naturelle* (traduit en français en 1865).	
1860		Charles Asselineau, *L'Enfer du bibliophile*. Charles Baudelaire, *Les Paradis artificiels*.	
1862		Charles Leconte de Lisle, *Poèmes barbares*.	
1863		Émile Littré, *Dictionnaire de la langue française*. * Joseph-Charles Taché, *Forestiers et Voyageurs*. Ivan Tourgueniev, *Apparitions*. * Philippe Aubert de Gaspé, *Les Anciens Canadiens*.	
1864		Émile Zola, *Contes à Ninon*.	
1865		Jules Verne, *De la Terre à la Lune*. Lewis Carroll, *Alice au pays des merveilles*.	

	La littérature fantastique française entre 1811 et 1905	Vie culturelle	Événements sociopolitiques
1867	Naissance de Marcel Schwob.	Mort de Charles Baudelaire. Émile Zola, *Thérèse Raquin*. Karl Marx, *Le Capital*. Charles Darwin, *La Descendance de l'homme*.	* Création de la Confédération canadienne.
1869	Prosper Mérimée, « Lokis ».	Charles Asselineau, *Charles Baudelaire, sa vie et son œuvre*. Charles Baudelaire, *Petits Poèmes en prose*. Lautréamont (Isidore Ducasse dit), *Les Chants de Maldoror*.	
1870		Paul Cézanne, *Le Déjeuner sur l'herbe* (peinture). Jules Verne, *Vingt mille lieux sous les mers*. Mort de Prosper Mérimée.	Guerre franco-allemande. Fin du Second Empire.
1871		Arthur Rimbaud, *Le Bateau ivre*. Charles Asselineau, *André Boulle, ébéniste de Louis XIV*. Émile Zola, *La Fortune des Rougon*.	Commune de Paris, période durant laquelle il y eut notamment « La semaine sanglante » (du 22 au 29 mai).

	La littérature fantastique française entre 1811 et 1905	Vie culturelle	Événements sociopolitiques
1872	Mort de Théophile Gautier.	Jules Verne, *Le Tour du monde en quatre-vingts jours*. Arnold Böcklin, *Combat de centaures* (peinture).	* Emma Lajeunesse, dite Albani, née à Chambly, chante au Covent Garden de Londres. Elle deviendra l'amie personnelle de la reine Victoria.
1873	Jules Barbey d'Aurevilly, *Les Diaboliques*.	Arthur Rimbaud, *Une saison en enfer*.	Incendie de la salle d'opéra Le Peletier, à Paris.
1874	Auguste Villiers de l'Isle-Adam, « Véra ». Mort de Charles Asselineau.	Paul Verlaine, *Romances sans paroles*. Claude Monet, *Impression, soleil levant* (peinture). Jules Verne, *L'Île mystérieuse*.	Première exposition des impressionnistes à Paris.
1875	Auguste Villiers de l'Isle-Adam, « À s'y méprendre ». Paul Féval, *La Ville vampire*.		
1876		Ivan Tourgueniev, *Un rêve*. Gustave Moreau, *L'Apparition* (peinture).	Alexander Graham Bell invente le téléphone. * Succursale de l'Université Laval à Montréal. Elle deviendra l'Université de Montréal en 1920.

	La littérature fantastique française entre 1811 et 1905	Vie culturelle	Événements sociopolitiques
1877		Stéphane Mallarmé, « Le Tombeau d'Edgar Poe » (poème). Gustave Flaubert, *Trois Contes*. Émile Zola, *L'Assommoir*.	* Des étudiants de l'Université McGill écrivent les règlements du hockey.
1878	À onze ans, Marcel Schwob fait publier son premier article dans *Le Phare de la Loire*.		L'Américain Thomas Edison invente le phonographe.
1879	Émile Zola, « La Mort d'Olivier Bécaille ».	* Naissance d'Émile Nelligan.	
1880		Gustave Moreau, *Galatée* (peinture). * Louis Fréchette, lauréat de l'Académie française. Émile Zola, *Le Roman expérimental*. Auguste Rodin, *La Porte de l'enfer* et *Le Penseur* (sculptures). *Les Soirées de Médan*, recueil collectif de l'école naturaliste. Arnold Böcklin, *L'Île des morts* (peinture).	* La comédienne française Sarah Bernhardt reçoit un accueil triomphal à Montréal. * Adolphe-Basile Routhier écrit les paroles de l'hymne « Ô Canada ». Calixa Lavallée en compose la musique.
1881	Guy de Maupassant, « La Maison Tellier ».	Jacques Offenbach, *Les Contes d'Hoffmann* (opéra fantastique). Odilon Redon, *L'Araignée qui sourit* (dessin).	La liberté de presse est établie en France. Fondation, à Paris, du premier cabaret, *Le Chat noir*.

	La littérature fantastique française entre 1811 et 1905	Vie culturelle	Événements sociopolitiques
1882	Guy de Maupassant, « Le Saut du Berger ». Auguste Villiers de l'Isle-Adam, « Le désir d'être un homme ».	Claude Debussy, *Le Printemps* (suite orchestrale).	
1883	Auguste Villiers de l'Isle-Adam, *Contes cruels*.	Robert-Louis Stevenson, *L'Île au trésor*.	
1884	Jules Verne, « Frritt-Flacc ».	Joris-Carl Huysmans, *À rebours*. Max Klinger, *Naufrage* (dessin).	* À Montréal, fondation du journal La Presse.
1885		Mort de Victor Hugo. Guy de Maupassant, *Bel Ami*.	* Pendaison du métis Louis Riel, fondateur du Manitoba, reconnu coupable de haute trahison.
1886	Auguste Villiers de l'Isle-Adam, *L'Ève future*.	Robert Louis Stevenson, *L'Étrange Cas du Dʳ Jekyll et M. Hyde*. Max Klinger, *Beethoven* (sculpture). Arthur Rimbaud, *Les Illuminations*.	Dernière exposition impressionniste. Invention du Coca-Cola par l'Américain John S. Pemberton.
1887	Guy de Maupassant, « La Nuit ». Guy de Maupassant, *Le Horla*.	* Louis Fréchette, *La Légende d'un peuple* (poème épique).	En Allemagne, conception de la première automobile à essence.
1888	Auguste Villiers de l'Isle-Adam, *Histoires insolites*.	Alfred Jarry, *Ubu roi*.	J. B. Dunlop fabrique le premier pneu.

	La littérature fantastique française entre 1811 et 1905	Vie culturelle	Événements sociopolitiques
1889	Mort d'Auguste Villiers de l'Isle-Adam.	Vincent Van Gogh, *La Nuit étoilée* et *Autoportrait à l'oreille coupée* (peintures). Max Klinger, *Night* (dessin). Knut Hamsun, *La Faim*.	Achèvement de la construction de la tour Eiffel, pour l'Exposition universelle de Paris, la même année.
1890		Rudyard Kipling, *La Marque de la bête*.	
1891	Marcel Schwob, *Cœur double* (« L'Homme voilé », « Les Portes de l'opium »).	James Ensor, *Squelettes se disputant pour le corps d'un pendu* (peinture). Oscar Wilde, *Le Portrait de Dorian Gray*.	
1892	Marcel Schwob, *Le Roi au masque d'or*.	Jules Verne, *Le Château des Carpathes*. * Louis Fréchette, *Originaux et Détraqués*. Peter Ilitch Tchaïkovski, *Casse-Noisette* (ballet).	* Construction du Château Frontenac à Québec.
1893	Mort de Guy de Maupassant.		Henry Ford construit sa première voiture.
1894	Marcel Schwob, *Le Livre de Monelle*.	Mort de Robert Louis Stevenson. Edvard Munch, *La Madone* (peinture). Rudyard Kipling, *La Plus Belle Histoire du monde*.	

	La littérature fantastique française entre 1811 et 1905	Vie culturelle	Événements sociopolitiques
1895		H.-G. Wells, *La Machine à explorer le temps*. * Début de l'École littéraire de Montréal.	Première présentation cinématographique des frères Lumière à Paris.
1896	Marcel Schwob, *Spicilèges* et *Vies imaginaires*.	H.-G. Wells, *L'Île du Dr Moreau*. Georges Méliès, *Le Manoir du Diable* (film).	* Wilfrid Laurier est élu premier ministre du Canada. Premiers jeux olympiques modernes à Athènes.
1897		Jules Verne, *Le Sphinx des glaces*. Bram Stoker, *Dracula*. H.-G. Wells, *L'Homme invisible*.	
1898		Henry James, *Le Tour d'écrou*. * Louis Fréchette, « Le Rêve de Barthe ».	L'affaire Dreyfus, qui a commencé quatre ans plus tôt, secoue profondément la France avec la publication de la lettre de Zola, « J'accuse », dans les journaux.
1899		* Pamphile Le May, *Contes vrais*. * Émile Nelligan déclame *La Romance du vin* à une soirée de l'École littéraire de Montréal.	L'Américain Will Keith Kellogg invente les flocons de maïs.

	La littérature fantastique française entre 1811 et 1905	Vie culturelle	Événements sociopolitiques
1900		* Honoré Beaugrand, *La Chasse-galerie, légendes canadiennes.* * Louis Fréchette, *La Noël au Canada.* Jean Delville, *L'Amour des âmes* (peinture). Sigmund Freud, *L'Interprétation des rêves.*	Exposition universelle de Paris. * Alphonse Desjardins fonde la première Caisse populaire.
1902	Mort d'Émile Zola.	* Louis-Philippe Hébert, *La Fée Nicotine* (sculpture). W. W. Jacobs, « La Patte de singe ». Arthur Conan Doyle, *Le Chien des Baskerville.* Georges Méliès, *Le Voyage dans la lune* (film).	L'Américain Orville Wright effectue en avion un vol de plus de 30 minutes. Albert Einstein formule sa théorie de la relativité restreinte.
1905	Mort de Marcel Schwob. Mort de Jules Verne.		En France, séparation de l'Église et de l'État.

ANNEXE IV

GLOSSAIRE DES NOTIONS LITTÉRAIRES

Accumulation : Figure d'insistance qui consiste à énumérer un grand nombre d'éléments de même nature ou de même fonction, souvent dans le but de créer un effet de profusion. Il s'agit d'une énumération abondante, dense et très chargée, qui vise à produire un effet de surenchère.

Allitération : Répétition de consonnes dans une séquence de mots rapprochés en vue de produire un effet particulier.

Analepse : Retour en arrière dans le déroulement chronologique (*flash-back*). Contraire : *prolepse*.

Anaphore : Figure d'insistance qui consiste en une répétition d'un ou plusieurs mots en début de plusieurs vers, phrases, propositions, syntagmes, etc. On parle d'anaphore quand les éléments touchés par cette répétition sont successifs ou très rapprochés, ce qui ajoute une dimension visuelle à l'effet de la figure. L'anaphore marque le rythme, souligne une idée obsessive ou cruciale, facilite la lecture de phrases très longues.

Antithèse : Figure d'opposition qui consiste à rapprocher deux réalités, deux termes, deux expressions ou deux propositions de manière à mettre, dans une même phrase, leur contraste en valeur.

Aparté : Mot ou réplique qu'un personnage de théâtre dit à part des autres présents sur scène et que seul le spectateur est censé entendre.

Archaïsme : Mot, expression, tournure de phrase, utilisés alors qu'ils sont disparus de l'usage.

Argumentation : Se dit d'un ensemble d'idées, d'exemples, dont le but est de convaincre de la vérité ou de la justesse du point de vue énoncé.

Assonance : Répétition d'une ou plusieurs voyelles dans une suite de mots rapprochés en vue de produire un effet particulier.

Autodiégétique : Voir Narrateur.

Baroque : Style et mouvement artistique caractérisés par la liberté des formes et la profusion des ornements, par la fantaisie et la démesure ; en arts, le mot peut aussi faire allusion à tout ce qui n'est pas du style classique (fin du XVIe siècle et première moitié du XVIIe siècle).

Champ lexical : Ensemble de mots qui, dans un passage ou un texte, appartiennent au même thème ou sous-thème. Ces mots ont en commun d'évoquer, chacun à leur manière, divers aspects d'une réalité. En somme, il y a champ lexical dans un contexte ou passage donné quand un même sens est évoqué par plusieurs mots.

Comparaison : Figure de rapprochement établissant un rapport analogique entre deux termes ou idées différents (le comparant et le comparé), dont on fait ressortir une caractéristique commune (qu'elle soit implicite ou explicite) à l'aide d'un outil de comparaison (conjonction, adjectif ou verbe comparatifs).

Connotation : Sens subjectif d'un mot dans un contexte donné, qui n'est pas forcément retenu par le dictionnaire, mais qui est partagé culturellement par un ensemble de personnes (groupe social, groupe d'âge, etc.). La connotation peut varier selon les individus, les époques, les lieux géographiques, etc. Un champ lexical peut révéler une connotation particulière dans un texte.

Contraste : Procédé littéraire qui consiste à mettre en opposition des situations, des utilisations de mots, des descriptions, des personnages, etc. afin de les mettre en valeur et de faire ressortir leurs caractéristiques.

Courant littéraire : Doctrine littéraire ou vision du monde propre à une époque ou à un groupe d'écrivains.

Description : Représentation détaillée d'objets, de lieux, de personnages (voir Portrait). Si l'auteur se contente de donner à voir les objets, le décor, on dira que la description est réaliste ;

s'il essaie de faire ressentir une émotion, de teinter les objets ou le décor d'une certaine affectivité, on dira que la description est symbolique.

Diégèse : L'univers proposé ou évoqué par une œuvre, dont elle représente une partie.

Discours direct : Discours d'un personnage tel qu'il l'a prononcé. La tradition française encadre de guillemets le discours direct ou met un tiret devant celui-ci. Exemple : « Il pleut », dit-il, ou : — Il pleut, dit-il.

Discours indirect libre : Discours d'un personnage rapporté, mais reproduit sans marques apparentes et transposé pour s'harmoniser avec le discours du narrateur. Exemple : Simon sortit. Tiens, il pleut. Heureusement, il avait son parapluie.

Effet de réel : Cet effet vise l'adhésion du lecteur à la « réalité » du récit. Toute tentative pour lui faire oublier qu'il est dans une fiction et qui prétend à la vérité factuelle contribue à créer un effet de réalisme.

Ellipse : Figure de construction qui consiste à omettre des éléments de la phrase, tout en la laissant compréhensible et correcte : on parle alors d'ellipse stylistique, car l'auteur sous-entend des mots que le lecteur imagine facilement.

Énumération : Figure d'insistance consistant à juxtaposer au moins trois termes de même nature grammaticale ou syntaxique à l'intérieur d'une même phrase. L'énumération peut être graduée ou non.

Épigraphe : Citation venant d'un autre auteur, placée souvent en exergue, au début d'un texte, dont elle rend compte de l'esprit ou du sujet.

Euphémisme : Procédé stylistique par lequel on atténue l'expression d'une réalité jugée trop brutale, choquante ou déplaisante.

Figures d'atténuation : Figures qui consistent à formuler la réalité de manière plus acceptable, comme la litote et l'euphémisme, par exemple.

Figures d'insistance : Ensemble de figures qui révèlent — sur les plans syntaxique et graphique —, par un effet d'accumulation ou d'amplification, l'importance d'un sujet, d'une émotion. Elles regroupent l'anaphore, l'énumération, l'hyperbole, le parallélisme, la répétition.

Figures d'opposition : Ensemble des figures qui indiquent que s'opposent deux réalités, deux concepts ou deux termes. Parmi ces figures, on trouve l'antithèse, le chiasme, l'oxymore et, d'une certaine manière, le paradoxe.

Figures de style : Aussi appelées procédés rhétoriques, ces figures peuvent jouer sur la sonorité des mots, sur leur(s) sens, sur la syntaxe ou encore sur la mise en perspective des idées. Plus d'un procédé peut être appliqué à un énoncé.

Figures de substitution : Ensemble de figures qui substituent l'un par l'autre deux réalités, deux concepts, deux personnages, etc. La métonymie, la périphrase, la synecdoque en sont des exemples.

Focalisation : Point de vue d'où se place le narrateur pour raconter une histoire. On distingue la **focalisation interne**, selon laquelle le point de vue du narrateur se place dans la conscience d'un personnage avec qui il partage un champ de connaissance restreint, et la **focalisation externe**, le point de vue du narrateur s'arrêtant à ce qu'il perçoit comme témoin objectif de son histoire. La **focalisation zéro** suppose un narrateur omniscient qui tire toutes les ficelles de l'histoire et qui connaît les moindres détails concernant les personnages et leurs pensées.

Gradation : Figure de construction s'apparentant à l'énumération, la gradation est la juxtaposition d'au moins trois termes, organisée de manière ascendante ou descendante selon une progression en nombre, en taille, en intensité, etc.

Grotesque : Tonalité tragicomique marquée par la dérision, caricaturant parfois la réalité au point de verser dans le bizarre et le fantastique, ou la bouffonnerie.

Harmonie imitative (ou **suggestive**): Répétition, dans un texte, d'un ou plusieurs sons (allitération* ou assonance*), qui crée l'impression d'entendre la réalité matérielle ou l'événement en question, ou qui a pour effet de provoquer des sensations en lien avec eux.

Hyperbole: Figure d'insistance qui met en relief un mot, une idée par une exagération, traduite notamment par l'emploi de termes excessifs, l'emphase, afin de produire une forte impression.

Incipit: Premiers mots d'un manuscrit, d'un livre. L'incipit s'arrête le plus souvent au moment où il y a changement d'instance de narration. Parfois le mot est utilisé pour désigner les premières phrases ou les premières lignes, le début d'un texte.

Macabre: Tonalité tragicomique axée sur les représentations de la mort (ossements, squelettes, cadavres, tombes, croquemorts, etc.) et qui privilégie le funèbre, le lugubre. Il est apparenté au grotesque* et à l'humour noir.

Merveilleux: Tonalité ou genre littéraire qui, comme le fantastique, fait intervenir le surnaturel. À la différence du fantastique, il y a, dans le merveilleux, adéquation entre le personnage et l'univers où il évolue, lequel peut être peuplé d'êtres ou créatures imaginaires, et absence d'une prétention à créer un effet de réel.

Métaphore: Figure de rapprochement qui établit un rapport d'analogie entre deux termes — de façon allusive — sans outil de comparaison. Il s'agit d'une comparaison implicite, d'une image condensée qui fusionne le comparé et le comparant. On parle de « métaphore filée » lorsque la métaphore initiale se poursuit en une série d'images convergentes qui l'enrichissent. La métaphore est dite usée quand elle a perdu toute originalité à force d'être répétée. Exemple : le disque d'argent pour désigner la lune.

Métonymie: Figure de substitution consistant à remplacer un mot par un autre en vertu d'une évidente relation logique : la cause pour l'effet, le contenant pour le contenu, etc. Exemple : boire un verre (quand en réalité, c'est le contenu que l'on boit).

Narrateur : Celui qui assume la narration du récit, qu'il en soit le héros (autodiégétique), un témoin (homodiégétique) ou absent (hétérodiégétique). Il ne faut pas confondre le narrateur et l'auteur.

Naturalisme : Apparue en France à la fin du XIXᵉ siècle, cette école littéraire commande la description objective de la réalité, à la manière des scientifiques, et sa reproduction, de façon implacable, dans tout ce qu'elle a de trivial ou de sordide. Poussant à l'extrême les principes du réalisme, les naturalistes utilisent les notions des sciences expérimentales, en appliquent la méthode à l'évolution de leurs personnages dans leur milieu. Ils croient que l'homme est soumis au déterminisme et à son hérédité.

Néologisme : Mot nouveau, parfois obtenu par composition (*courriel* est issu de **courri**er et **él**ectronique), ou qui prend un sens nouveau, différent de celui existant (*souris* d'ordinateur). Il sert à désigner une réalité objective perçue par l'auteur ou à jouer avec le langage.

Niveau de langue : Registre de langue d'un personnage (ou d'un narrateur) qui le situe dans un contexte social et culturel donné : familier, populaire, soutenu, vulgaire.

Nouveau roman : Courant littéraire assez important en France (1960-1970) qui se caractérise par une volonté de s'opposer à la manière traditionnelle d'écrire le roman. On y cherche à rendre les observations aussi objectivement que possible et à éliminer les commentaires sur la psychologie des personnages.

Onirisme (Onirique) : Activité mentale, comparable au rêve, qui se manifeste par des hallucinations pouvant aller jusqu'au délire.

Onomatopée : Mot qui, par ses sonorités, suggère un élément du réel en l'imitant. Les interjections sont souvent des onomatopées.

Oulipo: Acronyme de «Ouvroir de Littérature Potentielle». Mouvement hétéroclite fondé en 1960, rétablissant la valeur de la contrainte comme procédé de création.

Oxymore: Figure d'opposition qui lie par une étroite relation grammaticale deux termes apparemment contradictoires ou généralement incompatibles. Cette association pousse à sa limite le contraste et crée ainsi souvent un effet de paradoxe. Exemple: «Hâte-toi lentement» (formule attribuée à l'empereur Auguste et reprise par Boileau). Certains oxymores sont tellement utilisés qu'on ne les perçoit plus comme tels: «un illustre inconnu», «une nuit blanche», «la révolution tranquille» ou «le parti progressiste-conservateur».

Parnasse (Parnassien): Mouvement littéraire lancé par un groupe de poètes qui fonde, en 1866, le Parnasse contemporain. Défendant le principe de «l'Art pour l'Art», ces écrivains rejettent l'engagement social de l'artiste. Ils prônent la rigueur formelle et l'impersonnalité en réaction aux excès du lyrisme romantique.

Périphrase: Figure de substitution qui consiste à nommer en plusieurs mots ce qu'on pourrait désigner en un seul.

Personnification: Figure de rapprochement qui consiste à attribuer à un objet, une idée ou une abstraction des traits d'un être animé (humain ou animal). On la nomme *prosopopée* quand cet objet, cette idée ou cette abstraction prend la parole.

Pléonasme: Figure d'insistance qui consiste à employer deux mots ou expressions, qui ont un sens semblable, dont le sens du second est redondant par rapport au premier.

Polysémie: Caractéristique d'un mot — ou d'un groupe de mots — qui possède plusieurs significations. La polysémie désigne l'ambiguïté volontaire ou involontaire introduite par la pluralité de sens d'un mot ou d'un groupe de mots. Il s'agit d'une des principales caractéristiques qui distinguent le discours littéraire des autres discours.

Portrait : Procédé narratif qui consiste à faire la description physique, morale, psychologique ou sociale d'un personnage.

Réalisme : Au milieu du XIXᵉ siècle, courant littéraire qui veut reproduire la réalité telle qu'on la voit en refusant toute forme d'idéalisation. Le réalisme est marqué par une tendance à représenter le côté banal et trivial des choses. Voir Naturalisme.

Référent : Réalité à laquelle renvoie un mot, une phrase, un texte.

Répétition : Figure d'insistance qui consiste à reprendre plusieurs fois les mêmes termes, de façon rapprochée, pour mettre en évidence une idée, un sentiment.

Répétition narrative : Liée à la fréquence, la répétition narrative désigne le nombre de fois qu'un texte raconte les événements. Dans le cas de la répétition, le texte raconte plusieurs fois ce qui s'est passé une seule fois dans l'histoire fictive.

Roman d'anticipation : Roman qui, dans les événements qu'il raconte, suggère un déplacement temporel dans un futur imaginaire.

Romantisme (Romantique) : Courant littéraire de la période 1820-1850 où dominent, entre autres, le lyrisme, le drame, le désir d'évasion, le sentiment de la fatalité.

Scène : Procédé narratif désignant une unité de texte narratif ou dramatique fondée sur une action ou sur un dialogue complets. Au théâtre, le mot désigne une partie, la division d'un acte.

Sommaire : Procédé narratif qui consiste à résumer une action ou un dialogue.

Structure narrative : Manière dont la narration est organisée à l'intérieur d'un récit, par exemple, l'ordre dans lequel les événements sont racontés ou rapportés.

Symbolisme : Mouvement littéraire de la fin du XIXᵉ siècle et du début du XXᵉ siècle en réaction contre le réalisme, le naturalisme et le Parnasse. Pour les symbolistes, la poésie est le moyen qui permet de décrypter les apparences en établissant des rapprochements entre un objet concret et une idée ou un sentiment qu'il fait naître chez le poète. Par un langage imagé, le symbolisme touche au mystère de l'âme, au mysticisme, à l'idéalisme.

Synesthésie : Phénomène métaphorique associant harmonieusement une ou plusieurs sensations qui viennent de différents sens : odorat, goût, vue, toucher, ouïe.

Tableau : Procédé narratif qui consiste à faire la description d'un lieu où vivent des personnages, d'une atmosphère dans laquelle ils évoluent.

Tautologie : Figure d'insistance qui consiste, dans une même phrase, en la répétition d'un même sens, par un procédé d'autodésignation. Elle tient de l'évidence, du truisme, de la redondance, de la lapalissade. Toute définition est une tautologie, certaines maximes aussi (« Un sous est un sous. »).

Tonalité : Atmosphère générale créée par un ensemble de mots, de tournures, de procédés, etc. La tonalité tient de la connotation, mais s'applique à un réseau d'éléments linguistiques dépassant le simple lexique et contribuant à un même effet. Sont parfois utilisés les mots *climat*, *registre* ou *style* pour désigner une tonalité. *Ton* s'applique plutôt à une réplique, une phrase, une expression, un mot, il entraîne un état affectif particulier chez le lecteur.

Vraisemblable : Dans l'œuvre de fiction, ce qui semble pouvoir être vrai, ce qu'on peut s'attendre à voir dans la réalité, ou à connaître comme situation réelle.

Cette médiagraphie est surtout axée sur des ouvrages et des œuvres qui traitent du fantastique au XIXe siècle, français ou non. L'élève pourra aussi, avec intérêt, découvrir par lui-même ce qui se fait dans la littérature fantastique du XXe siècle : il verra qu'il s'agit d'un genre encore bien vivant aujourd'hui.

TEXTES LITTÉRAIRES FANTASTIQUES DU XIXE SIÈCLE

On ne trouvera pas ici les textes des auteurs de notre anthologie. On se reportera plutôt aux présentations de chacun et au tableau synoptique en annexe.

ANTHOLOGIES

ASTIC, Guy (anthologie présentée par). *Suite fantastique de Charles Nodier à Roland Topor*, coll. « Points virgule », Paris, Seuil, 2002, 225 pages.

Un panorama de onze nouvelles inattendues et déroutantes de la littérature fantastique française du début du XIXe siècle à nos jours : des textes d'auteurs connus (Guy de Maupassant, Charles Nodier, Marcel Schwob, André Pieyre de Mandiargues, etc.) et moins connus (Jean Lorrain, Maurice Renard, Claude Aveline, Claude Seignolle, etc.). De l'inquiétude diffuse à la peur panique…

BOIVIN, Aurélien. *Les Meilleurs Contes fantastiques québécois du XIXe siècle*, Québec, Fides, 2001, 362 pages.

Recueil qui ouvre une fenêtre sur le genre fantastique au Québec durant la même période que celle de l'anthologie présentée ici. L'ouvrage regroupe des textes de Fréchette, de Taché, de Le May, etc.

ŒUVRES FANTASTIQUES D'AUTEURS DU XIXE SIÈCLE NE FIGURANT PAS DANS L'ANTHOLOGIE

BARBEY D'AUREVILLY, Jules. *Les Diaboliques*, coll. « Folio classique », n° 342, Paris, Éditions Gallimard, 1973, 378 pages.

Publié en 1874 (et aussitôt frappé d'interdit !), ce recueil de nouvelles aborde les mêmes thématiques maléfiques et sataniques que les *Fleurs du mal* de Baudelaire.

MÉRIMÉE, Prosper. *La Vénus d'Ille*, coll. « Petits Classiques Larousse », n° 4, Paris, Larousse, 1998, 136 pages.

Récit bref, paru en 1837, qui raconte le pouvoir d'attraction singulier d'une statue de Vénus.

NODIER, Charles. *La Fée aux miettes*, précédé de *Smarra* et de *Trilby*, coll. « Folio classique », n° 1420, Paris, Éditions Gallimard, 1982, 412 pages.

Nodier est un des précurseurs français de la tradition fantastique et a eu une influence majeure sur Gautier. Rédigée en 1832, *La Fée au miettes* traite de la folie et de l'irrationnel sur fond de procès révolutionnaire.

POE, Edgar Allan. *Histoires extraordinaires*, Paris, GF-Flammarion, 1993, 306 pages.

POE, Edgar Allan. *Nouvelles Histoires extraordinaires*, Paris, GF-Flammarion, 2001, 310 pages.

Cette série de nouvelles de l'écrivain américain, publiées en recueil en 1840 (*Tales of the Grotesque and Arabesque*) et traduites par Baudelaire, a établi le standard moderne du genre fantastique. Une lecture incontournable qui suscite encore l'étonnement et l'horreur par le caractère incisif des histoires.

SHELLEY, Mary. *Frankenstein ou le Prométhée moderne*, Paris, GF-Flammarion, 1979, 376 pages.

Publié en 1818, ce roman anglais, écrit dans la tradition gothique, donne la forme moderne du mythe de l'homme reconstitué.

Kenneth Branagh en a produit une adaptation, avec Robert De Niro et Helena Bonham-Carter, qui n'a pas fait l'unanimité : *Mary Shelley's Frankenstein*, American Zoetrope (États-Unis), 1994, 2 h 03.

STOKER, Bram. *Dracula*, coll. « Pocket », nº 4669, Paris, Presse pocket, 2002, 576 pages.

Roman anglais d'épouvante au croisement du fantastique, écrit en 1897.

Francis Ford Coppola en a proposé une interprétation intéressante, avec Gary Oldman, Winona Ryder, Anthony Hopkins et Keanu Reeves : *Dracula*, Columbia Films (États-Unis), 1993, 2 h 05.

OUVRAGES D'INITIATION AU FANTASTIQUE ET AU RÉCIT BREF

EHRSAM, Véronique et Jean. *La Littérature fantastique en France*, coll. « Profil Littérature — Français », nº 127, Paris, Hatier, 1985, 80 pages.

Tableau sommaire du fantastique français, du XVIIIᵉ siècle à aujourd'hui. On y trouve des commentaires sur des procédés du fantastique et quelques thèmes récurrents du genre.

EVRARD, Franck. *La Nouvelle*, coll. « Mémo », nº 65, Paris, Seuil, 1997, 62 pages.

Synthèse des définitions du genre. L'ouvrage fournit aussi des outils d'analyse utiles pour mieux comprendre la nouvelle.

STEINMETZ, J.-L. *La Littérature fantastique*, coll. « Que sais-je ? », nº 907, Paris, PUF, 1990, 128 pages.

Ouvrage qui permet de s'initier au genre fantastique. Tout en définissant le genre, il le situe dans le contexte de la littérature universelle, jusqu'à la fin du XXᵉ siècle.

FILMS

L'amateur de cinéma fantastique consultera avec profit :

– le site http://www.cine-directors.net/fantastique/fantastique.htm.

Ce site amateur existe depuis quelques années, et sa partie consacrée au cinéma fantastique français, américain et étranger tient un peu de l'encyclopédie, avec près de 2000 titres classés par ordre alphabétique et notés de 1 à 20.

– le répertoire de DVD, *Guide DVD 2007*, sous la direction de François Poitras, Montréal, Fides, 2007, 984 pages.

Excellent guide de films. On y trouve, à la fin, des listes d'œuvres regroupées par réalisateurs, genres cinématographiques, thèmes abordés, etc., notamment des adaptations d'œuvres littéraires suivant le nom des auteurs (voir les « Sélections » sous la rubrique « Littérature »).

BANDES DESSINÉES

Nous proposons ici une série d'albums de bandes dessinées qui font référence au fantastique du XIXᵉ siècle ou qui évoquent un passé assez lointain pour laisser croire qu'on y est.

BRECCIA, Alberto (scénario et dessin). *Cauchemars*, coll. « Jolly Joker », Montreuil, Rackham, 2003.

Du maître uruguayen de la bande dessinée, quelques adaptations d'histoires courtes de Robert Louis Stevenson (1850-1894), d'Howard Phillips Lovecraft (1890-1937), de Jean Ray (1887-1964), etc. On peut aussi voir son adaptation du *Cœur révélateur et autres histoires extraordinaires* de Poe (Paris, Les Humanoïdes associés, 1995), des *Mythes de Cthulhu* de Lovecraft (Montreuil, Rackham, 2004) et sa version de *Dracula* (Paris, Les Humanoïdes associés, 1997).

FRED. *Philémon, le naufragé du « A »*, Paris, Dargaud, 1977.

Un des premiers volumes d'une série qui annonce l'univers fantastique de Philémon, un jeune garçon qui s'aventure dans des décors surréels, au grand dam de son père ! On peut aussi voir la description des autres albums de Fred sur le site Internet de l'éditeur Dargaud : http://www.dargaud.com/front/home/default.aspx.

GUIBERT, Emmanuel et B. DAVID. *Le Capitaine écarlate*, coll. « Aire libre », Marcinelle, Éd. Dupuis, 2000.

Avec comme toile de fond la biographie de Marcel Schwob, un récit qui fait intervenir de manière très fantaisiste des éléments de sa fiction : « L'Homme double », « Le Livre de Monelle », « Le Roi au masque d'or », etc. Événements surréels dans un décor fin de siècle.

MATTOTTI et KRAMSKY. *Docteur Jekyll et Mister Hyde*, Paris, Éditions Casterman, 2002.

Adaptation lugubre, mais très colorée, de l'univers tourmenté du roman bref de Robert Louis Stevenson (*Le Cas étrange du Dr Jekyll et M. Hyde*, Paris, GF-Flammarion, 1994, 152 pages).

SITES INTERNET

http://www.bmlisieux.com/sommaire.htm

Banque de textes fantastiques et autres.

http://fr.wikipedia.org/wiki/Fantastique

Définition sommaire du genre, qui constitue une introduction au fantastique.

DANS LA MÊME COLLECTION

Anthologie, *Poésies romantiques françaises et québécoises*

Balzac, Honoré de, *Ferragus*

Gaboriau, Émile, *Le Petit Vieux des Batignolles*

Hémon, Louis, *Maria Chapdelaine*

Hugo, Victor, *Les Contemplations, L'Âme en fleur* (Livre II) suivi de *Pauca meæ* (Livre IV)

La Fontaine, Jean de, *Fables choisies*

Marivaux, *La Double Inconstance*

Maupassant, Guy de, *Coco, La folle et autres récits brefs*

Molière, *L'Avare*

Molière, *L'École des femmes*

Racine, Jean, *Bajazet*

Rimbaud, Arthur, *Œuvres poétiques choisies*

Rostand, Edmond, *Cyrano de Bergerac*